Avant-propos

La formation initiale en soins infirmiers vise le développement des compétences inhérentes à la pratique infirmière. Qu'elle relève des domaines scientifique, relationnel, éthique, déontologique ou juridique, l'acquisition des savoirs occupe une place prépondérante dans les apprentissages que l'étudiante doit faire pour exercer sa future profession. À cela s'ajoute l'habileté à organiser ses activités cliniques, la capacité de s'impliquer au sein d'une équipe travaillant en interdisciplinarité et la facilité à utiliser les divers moyens de transmission de l'information clinique (plan de soins et de traitements infirmiers, plan thérapeutique infirmier, rédaction des notes d'évolution au dossier et autres outils de documentation).

Toutefois, l'acquisition des compétences initiales ne se limite pas aux savoirs. Certes, les connaissances générales permettent de comprendre les situations de soins, mais cette compréhension ne saurait être totalement judicieuse sans une réflexion préalable à une prise de décision basée sur l'évaluation pertinente et rigoureuse de l'état de santé physique et mentale de la personne soignée. C'est justement ce processus intellectuel qui permet d'analyser et d'interpréter une situation clinique, condition préalable au choix d'interventions appropriées à la clientèle et adaptées à ses besoins. L'infirmière exerce son jugement clinique dans un contexte particulier de soins qui considère les dimensions personnelle, familiale, culturelle, sociale et spirituelle de la personne bénéficiant d'un service infirmier professionnel.

Le guide d'études qui accompagne le manuel *Soins infirmiers – Périnatalité* s'inscrit dans ce souci de favoriser l'acquisition des savoirs spécifiques, du savoir-être, du savoir-faire, mais également du savoir-évaluer pour mieux décider. L'orientation de la pratique infirmière actuelle accorde une importance marquée à l'évaluation d'une situation clinique ; il apparaît donc nécessaire que l'étudiante soit en mesure de développer sa pensée critique le plus rapidement possible pour démontrer son jugement clinique.

Qu'elles soient courtes ou plus élaborées, les mises en situation présentées ici sont réalistes et tiennent compte de problèmes susceptibles d'être étudiés dans les formations initiales, collégiale et universitaire, et pouvant être fréquemment vécus dans les différents milieux de stages. À des degrés divers, les questions posées, qu'elles soient à choix de réponses ou ouvertes à réponses plus ou moins courtes, cherchent à apporter une contribution supplémentaire à l'acquisition des compétences infirmières : évaluation d'une situation clinique, analyse, établissement d'une relation aidante, prise de décisions et interventions à poser, continuité et coordination des soins, documentation des soins, enseignement à la personne et à son entourage visant la promotion de la santé et la prévention de la maladie et des complications, collaboration interdisciplinaire, acquisition d'attitudes professionnelles. En définitive, c'est une façon d'exercer son professionnalisme, condition inhérente à un service infirmier de qualité.

Caractéristiques de l'ouvrage

COMPOSANTES GÉNÉRALES D'UN CHAPITRE

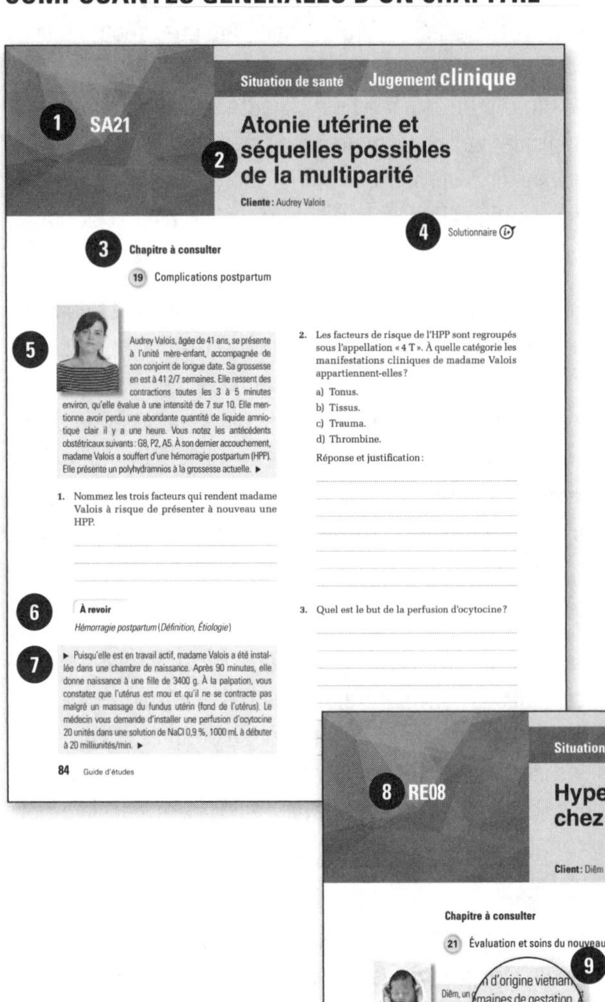

Situation de santé Jugement clinique

1 SA21

2 Atonie utérine et séquelles possibles de la multiparité

Cliente : Audrey Valois

4 Solutionnaire

3 **Chapitre à consulter**

19 Complications postpartum

5 Audrey Valois, âgée de 41 ans, se présente à l'unité mère-enfant, accompagnée de son conjoint de longue date. Sa grossesse en est à 41 2/7 semaines. Elle ressent des contractions toutes les 3 à 5 minutes environ, qu'elle évalue à une intensité de 7 sur 10. Elle mentionne avoir perdu une abondante quantité de liquide amniotique clair il y a une heure. Vous notez les antécédents obstétricaux suivants : G8, P2, A5. À son dernier accouchement, madame Valois a souffert d'une hémorragie postpartum (HPP). Elle présente un polyhydramnios à la grossesse actuelle. ▶

1. Nommez les trois facteurs qui rendent madame Valois à risque de présenter à nouveau une HPP.

6 **À revoir**

Hémorragie postpartum (*Définition, Étiologie*)

7 ▶ Puisqu'elle est en travail actif, madame Valois a été installée dans une chambre de naissance. Après 90 minutes, elle donne naissance à une fille de 3400 g. À la palpation, vous constatez que l'utérus est mou et qu'il ne se contracte pas malgré un massage du fundus utérin (fond de l'utérus). Le médecin vous demande d'installer une perfusion d'ocytocine 20 unités dans une solution de NaCl 0,9 %, 1000 mL à débuter à 20 milliunités/min. ▶

2. Les facteurs de risque de l'HPP sont regroupés sous l'appellation « 4 T ». À quelle catégorie les manifestations cliniques de madame Valois appartiennent-elles ?
   a) Tonus.
   b) Tissus.
   c) Trauma.
   d) Thrombine.

   Réponse et justification :

3. Quel est le but de la perfusion d'ocytocine ?

84 Guide d'études

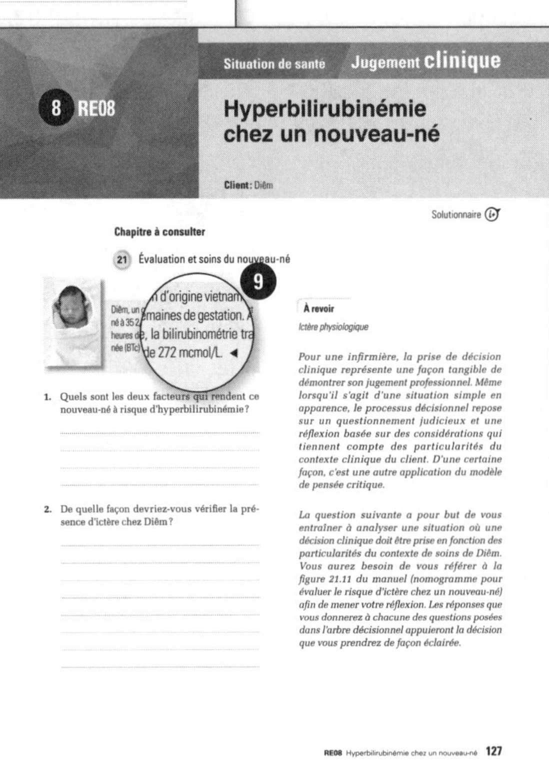

Situation de santé Jugement clinique

8 RE08

Hyperbilirubinémie chez un nouveau-né

Client : Diêm

Solutionnaire

Chapitre à consulter

21 Évaluation et soins du nouveau-né

1. Quels sont les deux facteurs qui rendent ce nouveau-né à risque d'hyperbilirubinémie ?

2. De quelle façon devriez-vous vérifier la présence d'ictère chez Diêm ?

À revoir

Ictère physiologique

Pour une infirmière, la prise de décision clinique représente une façon tangible de démontrer son jugement professionnel. Même lorsqu'il s'agit d'une situation simple en apparence, le processus décisionnel repose sur un questionnement judicieux et une réflexion basée sur des considérations qui tiennent compte des particularités du contexte clinique du client. D'une certaine façon, c'est une autre application du modèle de pensée critique.

La question suivante a pour but de vous entraîner à analyser une situation où une décision clinique doit être prise en fonction des particularités du contexte de soins de Diêm. Vous aurez besoin de vous référer à la figure 21.11 du manuel (nomogramme pour évaluer le risque d'ictère chez un nouveau-né) afin de mener votre réflexion. Les réponses que vous donnerez à chacune des questions posées dans l'arbre décisionnel appuieront la décision que vous prendrez de façon éclairée.

RE08 Hyperbilirubinémie chez un nouveau-né 127

1. Situation d'apprentissage qui propose un cas clinique complexe.
2. Présentation de la situation de santé qui sera abordée et nom du client ou de la cliente.
3. Mention du ou des chapitres visés par la situation d'apprentissage.
4. Solutionnaire
5. Mise en situation qui fournit des renseignements sur la cliente ou le client et des données sur sa situation de santé.
6. Renvoi à une section précise d'un chapitre afin de faciliter la révision des connaissances requises pour répondre aux questions.
7. Suite de la mise en situation. Celle-ci fournit de nouvelles données, faisant évoluer le cas clinique.
8. Révision éclair : courte activité qui propose l'analyse d'une situation de santé présentant des thèmes non couverts par les situations d'apprentissage.
9. Les valeurs de laboratoire citées dans cet ouvrage sont extraites de Wilson, D. D., Lahaye, S., et Prégent, E. (2014). *Examens paracliniques*. Montréal : Chenelière McGraw-Hill.

Table des matières

RÉVISIONS ÉCLAIR

Situation de santé **Jugement clinique**

SA01

Conception et grossesse : implications anatomiques et physiologiques

Cliente : Jamila Darid

Solutionnaire 

Chapitre à consulter

 Anatomie et physiologie : conception

Jamila Darid, âgée de 30 ans, se présente au groupe de médecine de famille où vous travaillez comme infirmière. Elle a fait hier un test de grossesse acheté à la pharmacie, qui s'est avéré positif. Elle en est très heureuse et affirme vouloir tout faire pour vivre une grossesse en santé. Depuis hier, elle a lu beaucoup d'informations à ce sujet sur Internet. ▶

1. Madame Darid a fait le test de grossesse hier, trois jours après la date prévue pour le retour de ses règles. Elle a un cycle menstruel régulier de 29 jours. Elle se demande combien de jours a son futur bébé aujourd'hui. Que devez-vous lui répondre ?

2. Vous expliquez à la cliente que l'embryon est déjà implanté. Normalement, à quel endroit l'implantation a-t-elle lieu ?

a) Dans le tiers externe de la trompe utérine.

b) À la jonction de la trompe de Fallope et du corps utérin.

c) Dans la partie postérieure ou antérieure du fond utérin.

d) Dans l'isthme utérin, près de l'orifice cervical interne.

Réponse et justification :

3. S'il n'y avait pas eu de fécondation, madame Darid aurait eu ses règles à la date prévue. Quel phénomène déclenche l'arrivée du saignement menstruel ?

a) L'augmentation du taux d'hormones folliculostimulantes.

b) La diminution du taux de prostaglandines et de Gn-RH.

c) L'augmentation du taux de LH et de FSH.

d) La diminution du taux d'œstrogènes et de progestérone.

Réponse et justification :

▶ À sa demande, vous montrez à madame Darid des illustrations du développement de l'embryon dans les premières semaines de grossesse. Elle est contente de voir ces images. « C'est une petite boule de cellules. C'est une merveille qu'il puisse grandir et se développer », dit-elle. ▶

4. La cliente vous demande comment fait l'embryon, à ce moment de la grossesse, pour recevoir ce qu'il faut à sa survie. Que devez-vous lui expliquer ?

▶ Vous posez quelques questions à madame Darid pour connaître ses antécédents de santé. Elle vous dit qu'elle n'a jamais eu de problèmes importants, mais qu'elle a déjà fait une mauvaise chute en ski alpin quand elle avait 16 ans. Elle avait alors subi une fracture du coccyx. ▶

5. Cette fracture pourrait-elle avoir une incidence sur le déroulement de l'accouchement de madame Darid ? Justifiez votre réponse.

▶ Un mois plus tard, vous recevez de nouveau madame Darid, pour le suivi de sa grossesse. Elle dit se sentir bien, mais présente de la pollakiurie, ce qu'elle trouve désagréable. ◀

6. Quelle explication devriez-vous donner à la cliente sur ce phénomène ?

7. La cliente a regardé une vidéo d'un accouchement. Elle dit trouver impressionnant que les contractions de l'utérus puissent expulser un fœtus au moment de la naissance. Quelle structure de l'utérus remplit cette fonction ?

a) Les fibres longitudinales de la couche externe du myomètre.

b) Le tissu fibreux et le tissu élastique du col de l'utérus.

c) Les fibres en « 8 » de la couche intermédiaire du myomètre.

d) Les fibres circulaires qui entourent l'orifice cervical interne.

▶

Réponse et justification :

8. Madame Darid désire allaiter son bébé. Vous lui expliquez brièvement l'anatomie des seins. Elle vous demande dans quelle partie du sein est produit le lait maternel. Que devez-vous lui répondre ?

Situation de santé Jugement **clinique**

SA02

Évaluation en période de préconception I

Cliente : Lise-Ann Philibert

Solutionnaire 

Chapitre à consulter

Lise-Ann Philibert, âgée de 30 ans, consulte à la clinique afin d'effectuer un bilan de santé. Elle n'a jamais eu de grossesse. Elle habite avec son conjoint depuis deux ans, et le couple souhaite avoir un enfant. ▶

1. Depuis trois ans, madame Philibert prend un contraceptif oral qui ne lui cause aucun effet indésirable. Elle souhaite l'arrêter afin de devenir enceinte. Elle se demande si elle devrait utiliser une autre méthode contraceptive pendant un certain temps pour éviter que le futur embryon soit exposé aux hormones contenues dans le contraceptif. Que devriez-vous lui répondre ?

2. Afin d'établir l'histoire de santé de madame Philibert, indiquez au moins cinq points à inclure dans l'évaluation des facteurs de risque en période de préconception.

3. Afin d'assurer une santé optimale chez madame Philibert avant sa première grossesse, quels sujets devriez-vous aborder avec elle concernant ses habitudes de vie ? Nommez-en au moins cinq.

À revoir

Raisons de consulter un professionnel de la santé, l'encadré 3.1 *Principaux volets des soins en période de préconception, Promotion de la santé chez la femme* et *Méthodes contraceptives* (*Méthodes hormonales*)

4. Au cours de la palpation externe des organes génitaux de la cliente, quelles structures anatomiques faut-il examiner ?

5. Que faut-il rechercher pendant l'inspection du périnée de la cliente ?

a) La présence de cicatrices.
b) Des fissures anales.
c) Une irritation de la vulve.
d) Un écoulement vaginal anormal.

Réponse et justification :

À revoir

Examen pelvien (*Palpation externe*)

6. À quelle fréquence la cliente devrait-elle subir un examen gynécologique ?

a) À toutes les visites médicales.
b) Chaque année.
c) Tous les deux ou trois ans.
d) Tous les cinq ans.

Réponse et justification :

▶ Au cours de l'entretien, madame Philibert dit qu'elle a été menstruée la semaine dernière. ▶

7. Quelle période du cycle menstruel serait idéale pour effectuer un test de Papanicolaou (test Pap) chez madame Philibert ?

a) Le milieu du cycle menstruel.
b) Le premier jour des règles.
c) Les derniers jours du cycle.
d) Les premiers jours du cycle.

Réponse et justification :

8. Avant de procéder au prélèvement pour un test Pap, vous expliquez à madame Philibert que ce test permet de dépister:

   a) le cancer de l'utérus.
   b) les candidoses.
   c) l'infection à chlamydia.
   d) le cancer du col utérin.

   Réponse et justification:

À revoir

L'encadré 3.5 *Test de Papanicolaou (test Pap)* et *Fréquence des examens médicaux*

▶ Madame Philibert mentionne qu'elle ne fait pas d'exercice, prétextant que son travail est trop exigeant et qu'elle n'a pas vraiment de temps à consacrer à la pratique d'un sport. Cependant, elle souhaite être plus active physiquement. ◀

9. Suggérez quatre activités auxquelles madame Philibert pourrait s'adonner pour être plus active.

À revoir

Exercice

Situation de santé **Jugement clinique**

SA03

Enseignement de diverses méthodes contraceptives

Cliente : Katia Martel

Solutionnaire 

Chapitre à consulter

3 Évaluation clinique et soins de santé de la femme

Katia Martel, âgée de 19 ans, rencontre une infirmière à la clinique pour en savoir plus sur les diverses méthodes contraceptives. Jusqu'à maintenant, elle n'a utilisé que le condom avec ses partenaires. Elle a un nouveau conjoint depuis six mois, le premier qui est stable dans sa vie. Elle ne présente aucun problème de santé. Son cycle menstruel est régulier (28 jours) depuis qu'elle a 13 ans. Katia a beaucoup discuté avec ses amies du coït interrompu. Plusieurs d'entre elles l'utilisent depuis un certain temps, et aucune n'est devenue enceinte. L'infirmière discute avec Katia de l'efficacité de cette méthode. ▶

1. Sur quoi repose principalement l'efficacité du coït interrompu ?

a) Sur l'accord commun des deux partenaires.

b) Sur la connaissance des signes préorgasmiques.

c) Sur la capacité du partenaire de se retirer à temps.

d) Sur l'utilisation concomitante d'une autre méthode.

Réponse et justification :

2. Katia aimerait savoir comment appliquer la méthode symptothermique. Indiquez au moins six points à lui enseigner à propos des particularités de cette méthode contraceptive.

À revoir

Coït interrompu et *Méthodes naturelles* (*méthode symptothermique*)

▶ Katia est un peu découragée, car elle souhaitait utiliser une méthode contraceptive naturelle et gratuite, mais elle trouve que ces méthodes sont trop compliquées à appliquer et surtout trop risquées. Par ailleurs, elle désire cesser d'avoir recours au condom, car son conjoint n'aime pas beaucoup en porter. ▶

3. Katia dit qu'une de ses amies utilise le diaphragme, et elle aimerait en savoir plus sur cette méthode. Que devriez-vous répondre aux questions suivantes qu'elle pose?

a) *Est-ce que je dois absolument être couchée pour l'installer?* Justifiez votre réponse.

b) *Combien de temps avant le rapport sexuel faut-il que je l'insère dans le vagin?*

i) Pas plus de six heures avant.

ii) Au moins sept heures avant.

iii) Au moins huit heures avant.

iv) Au moins neuf heures avant.

Réponse et justification:

c) *Est-ce que je peux l'enlever tout de suite après un rapport sexuel?* Justifiez votre réponse.

d) *On m'a dit que je dois utiliser un spermicide avec le diaphragme. Pourquoi?*

i) Le diaphragme à lui seul ne peut prévenir efficacement la grossesse.

ii) Le spermicide agit comme lubrifiant en facilitant la pénétration.

iii) La pénétration sera alors moins irritante et plus satisfaisante.

iv) Le spermicide facilite l'insertion du diaphragme au col utérin.

Réponse et justification:

e) *Quel type de savon puis-je utiliser pour le nettoyer après l'avoir enlevé?*

i) Un savon détergent.

ii) Un savon avec cold-cream.

iii) Un savon avec gelée de pétrole.

iv) Un savon doux. ▶

Réponse et justification:

4. Si Katia était âgée de 36 ans, qu'elle avait accouché quatre fois et qu'elle présentait un prolapsus utérin, pourrait-elle utiliser le diaphragme comme méthode contraceptive? Justifiez votre réponse.

5. Quelle autre condition serait une contre-indication à l'utilisation du diaphragme pour Katia?

a) Des relations sexuelles trop fréquentes.

b) Des infections urinaires récurrentes.

c) Une hypertonie du périnée.

d) Une allergie au spermicide.

Réponse et justification:

6. Sachant que le port prolongé du diaphragme peut causer un syndrome de choc toxique, quels en sont les signes les plus courants que Katia doit surveiller? Nommez-en au moins sept.

À revoir

Méthodes dites de barrière (Diaphragme)

▶ Katia aimerait être menstruée moins souvent, car elle déteste cette période de son cycle qui lui cause des maux de ventre et qui la rend de mauvaise humeur. Elle a entendu parler de la pilule Seasonale[MD] qui étend le cycle menstruel jusqu'à 13 semaines. ▶

7. Katia est-elle assurée de ne pas devenir enceinte si elle prend ce contraceptif? Justifiez votre réponse.

▶ Katia se considère en excellente santé même si elle a parfois des migraines. Elle s'est fracturé l'humérus gauche alors qu'elle avait 12 ans, mais la fracture s'est bien consolidée après le port d'un plâtre pendant plusieurs semaines. Elle a une masse non cancéreuse de 1 cm au sein gauche. Sa pression artérielle (P.A.) est stable à 132/82 mm Hg. Elle dit qu'elle a parfois de la difficulté à digérer des aliments frits, mais elle s'abstient d'en manger la plupart du temps. ▶

8. Quelle particularité dans la situation de santé de Katia pourrait constituer un empêchement pour elle à prendre la pilule Seasonale^MD?

a) Les migraines.

b) La consommation d'aliments frits.

c) La masse au sein.

d) Sa pression artérielle.

Réponse et justification:

À revoir

Méthodes hormonales (Contraceptifs contenant une combinaison d'œstrogènes et de progestatif)

▶ La mère de Katia a eu un cancer du sein à l'âge de 28 ans. Comme elle craint d'en être atteinte plus tard, Katia refuse de prendre la pilule Seasonale^MD pour cette raison. Le médecin lui a alors prescrit des injections de médroxyprogestérone (DMPA [Depo-Provera^MD]). ▶

9. Citez deux avantages pour Katia de recourir à ce contraceptif.

10. Quel est le principal désavantage pour Katia de prendre le DMPA?

a) Le médicament coûte cher.

b) Il doit être administré en injection I.M.

c) Il ne protège pas contre les ITSS et le VIH.

d) Elle ne peut se l'administrer elle-même.

Réponse et justification:

11. À quels moments et à quelle fréquence Katia devra-t-elle recevoir ses injections I.M. de DMPA ?

▶ Trois mois après le début de la prise de DMPA, Katia a présenté des pertes vaginales sanglantes et irrégulières. Elle a pris 7 kg et elle a décelé une autre masse d'environ 1 cm au sein droit. Il s'agit d'un kyste, selon le médecin. ▶

12. Quel autre effet indésirable pourrait-elle présenter à la suite de la prise de ce contraceptif?

a) Une diminution de la densité osseuse.

b) De l'hypercholestérolémie.

c) Une hémorragie gastro-intestinale.

d) De l'œdème des membres inférieurs.

Réponse et justification :

13. Katia aimerait aussi savoir si elle peut redevenir fertile rapidement si elle cesse la prise du DMPA. Combien de temps après l'arrêt de ce médicament peut-elle redevenir fertile ?

À revoir

Méthodes hormonales (Contraceptifs uniquement à base de progestatif)

▶ Un an et demi plus tard, Katia revient consulter. Elle a cessé de prendre le DMPA il y a six mois, car elle et son conjoint voulaient concevoir un enfant. Cependant, son partenaire l'a quittée il y a une semaine. Avant-hier, elle a eu une relation sexuelle non protégée et, comme elle ne veut nullement devenir enceinte, elle aimerait prendre la « pilule du lendemain ». ◀

14. Est-il trop tard pour que Katia ait recours à cette pilule ? Justifiez votre réponse.

15. À quel moment Katia devrait-elle revenir consulter si elle n'a pas encore de menstruations malgré la prise de la contraception d'urgence ?

16. Sachant que la cliente n'a pas de conjoint stable présentement et qu'elle n'utilise aucune méthode contraceptive, quel moyen contraceptif serait approprié pour prévenir la grande majorité des ITSS et la grossesse ?

À revoir

Contraception d'urgence

Situation de santé **Jugement clinique**

SA04

Évaluation en période de préconception II

Cliente : Lise-Ann Philibert (*suite de la SA02*)

Solutionnaire

Chapitre à consulter

Problèmes de santé de la femme

Vous rencontrez de nouveau madame Philibert (*voir la page 4*) au cours d'une visite ultérieure. Vous apprenez alors qu'elle occupe un poste de comptable depuis un an dans un important groupe financier. Elle consomme deux verres de vin chaque soir au retour du travail. La fin de semaine, elle boit parfois une bouteille de vin complète à elle seule. Comme elle a peu d'expérience professionnelle, elle affirme que cela l'aide à diminuer le stress engendré par son travail. ▶

1. Nommez quatre problèmes de santé que madame Philibert pourrait présenter en raison de sa consommation d'alcool.

À revoir

Consommation de substances psychoactives (Alcool)

▶ Madame Philibert a un indice de masse corporelle (IMC) se situant à 30. ▶

2. Indiquez à madame Philibert un risque associé à son IMC au cours d'une future grossesse.

a) L'hypoglycémie chez le nouveau-né.

b) Un approvisionnement réduit en oxygène chez le fœtus.

c) Le diabète gestationnel (diabète de grossesse).

d) Les malformations cardiaques chez le fœtus.

Réponse et justification :

À revoir

Alimentation (Surpoids)

▶ Madame Philibert vous précise qu'elle est atteinte d'endométriose. ▶

3. Ce trouble gynécologique peut-il nuire à une future grossesse? Justifiez votre réponse.

À revoir

Troubles gynécologiques influant sur la grossesse et *Endométriose*

4. Si madame Philibert avait déjà souffert de chlamydia, quel serait le risque encouru associé à cette infection à l'occasion d'une éventuelle grossesse?

   a) Un accouchement prématuré.
   b) Une grossesse ectopique.
   c) Une mortinaissance.
   d) Une menace d'avortement.

   Réponse et justification:

5. Si madame Philibert avait des condylomes au périnée en raison d'une infection par le virus du papillome humain, pourquoi serait-il approprié qu'elle porte des vêtements amples et des sous-vêtements en coton?

   a) Pour réduire au minimum la friction et l'irritation.
   b) Pour profiter d'un plus grand confort à la marche.
   c) Pour diminuer les démangeaisons possibles.
   d) Pour éviter un risque de réinfection.

   Réponse et justification:

À revoir

Infections bactériennes transmissibles sexuellement et par le sang (*Infection à chlamydia*) et *Infections virales transmissibles sexuellement et par le sang* (*Virus du papillome humain*) et *Soins infirmiers: Virus du papillome humain*

▶ Le conjoint de madame Philibert est présent à la rencontre de consultation. Il lui parle sèchement et élève parfois la voix lorsqu'il s'adresse à elle. La cliente a alors tendance à se taire et à baisser les yeux. ◀

6. Citez deux comportements caractéristiques à rechercher chez madame Philibert pouvant indiquer que celle-ci est victime de violence de la part de son conjoint.

   a) Le refus de parler de sa dynamique familiale et la soumission.
   b) Des tics nerveux et une tendance à laisser parler son conjoint à sa place.
   c) Une attitude prostrée et une tendance à pleurer facilement.
   d) Des signes d'une faible estime de soi et un isolement social.

   Réponse et justification :

À revoir

Violence envers les femmes (*Violence du partenaire sexuel*)

SA05

Jeune femme atteinte d'une dysménorrhée grave

Cliente : Mahée Lavoie

Solutionnaire 

Chapitre à consulter

 Problèmes de santé de la femme

Mahée Lavoie, âgée de 16 ans, a eu ses ménarches à 13 ans et elle vient tout juste de commencer à fumer, au grand désespoir de ses parents. « Toutes mes amies fument », dit-elle. Elle se plaint de douleur sourde dans le bas-ventre chaque mois au moment de ses règles, qui sont abondantes selon elle. Elle doit alors manquer une journée d'école, car la douleur est insupportable. ▶

1. Parmi les données de cet épisode, quel semble être le facteur le plus en cause dans la dysménorrhée de Mahée ?

a) L'adolescence.
b) La cigarette.
c) Les ménarches.
d) Les règles abondantes.

Réponse et justification :

2. À quel endroit la douleur ressentie par Mahée peut-elle irradier ?

a) Dans le haut des cuisses.
b) Dans tout l'abdomen.
c) Dans le milieu du dos.
d) Dans la région épigastrique.

Réponse et justification :

3. En plus de la douleur, quelles autres manifestations cliniques Mahée peut-elle présenter lorsqu'elle est menstruée ?

a) De la constipation et de la dysurie.
b) Des nausées et des vomissements.
c) De la myalgie et une rétention urinaire.
d) De l'incontinence urinaire et de la pâleur.

Réponse et justification :

4. Nommez au moins quatre méthodes naturelles que Mahée pourrait essayer afin d'enrayer la douleur. Justifiez ces méthodes.

À revoir

Dysménorrhée

▶ Mahée dit que lorsqu'elle ressent des douleurs abdominales, elle prend de l'acétaminophène (Tylenol[MD]) pour essayer de les soulager, mais que cela ne fonctionne pas. Sa mère lui propose de prendre plutôt de l'ibuprofène (Motrin[MD]). ▶

5. Pourquoi la suggestion de prendre de l'ibuprofène à la place de l'acétaminophène est-elle pertinente?

a) Les effets indésirables sont moins prononcés avec l'ibuprofène.

b) L'ibuprofène a également une action antipyrétique en cas de fièvre.

c) L'ibuprofène est un AINS qui inhibe la synthèse des prostaglandines.

d) L'ibuprofène cause moins de dommages au foie s'il est pris en grande quantité.

Réponse et justification:

6. Nommez deux effets indésirables que Mahée peut présenter si elle prend de l'ibuprofène, comme le suggère sa mère.

a) De la polyurie et une bradycardie.

b) De l'hypokaliémie et de la dysphagie.

c) De l'anorexie et des selles foncées.

d) De la dyspepsie et des vertiges.

Réponse et justification:

À revoir

Soins infirmiers: Dysménorrhée primaire

▶ Six mois plus tard, Mahée n'a ressenti aucun bienfait consécutif à la prise des AINS. Elle a hâte que ses douleurs cessent, car elle manque beaucoup de journées d'école. Le médecin lui a alors prescrit Min-Ovral^MD. ▶

7. Mahée se demande comment Min-Ovral^MD peut éliminer sa douleur. Que devrait-elle savoir à propos de l'action de ce médicament?

À revoir

Soins infirmiers: Dysménorrhée primaire

▶ Trois ans plus tard, Mahée confirme ne plus souffrir de douleur menstruelle depuis la prise des anovulants. Elle a un nouveau copain et elle croit être atteinte d'herpès. ▶

8. Nommez trois signes et quatre symptômes qui pourraient laisser croire que Mahée a effectivement contracté le virus de l'herpès.

9. Quel test confirmera que Mahée est atteinte d'herpès génital? Justifiez votre réponse.

10. Mahée se demande si elle peut guérir de l'herpès génital. Que doit-elle savoir à ce sujet?

À revoir

Infections virales transmissibles sexuellement et par le sang (Herpès génital)

▶ Mahée se plaint de douleurs vulvaires très intenses. Elle aimerait connaître des moyens pour les atténuer. ◀

11. Mahée a appliqué les interventions non médicamenteuses suivantes que l'infirmière lui a suggérées pour l'aider à diminuer ses douleurs vulvaires lorsque les lésions sont actives. Donnez-en la justification.

a) Nettoyer les lésions vulvaires avec une solution salée.

▶

b) Prendre un bain de siège à l'eau tiède additionnée de bicarbonate de soude.

c) Assécher la région vulvaire par tapotement à l'aide d'une serviette douce.

12. Indiquez au moins trois autres interventions non médicamenteuses que Mahée pourrait également mettre en œuvre.

13. Nommez deux facteurs que Mahée doit connaître et qui peuvent déclencher une récurrence de l'herpès génital.

a) Le port de sous-vêtements mal lavés et des relations sexuelles non protégées.
b) La friction liée aux relations sexuelles et les changements hormonaux.
c) L'utilisation d'une crème solaire avec FPS > 30 et la consommation d'aliments acides.
d) L'emploi d'une lotion dépilatoire et le port de vêtements trop serrés.

Réponse et justification :

À revoir

Soins infirmiers : Herpès génital

14. Reconstituez la carte conceptuelle ci-dessous en plaçant les éléments aux bons endroits.

Minicarte conceptuelle sur la dysménorrhée

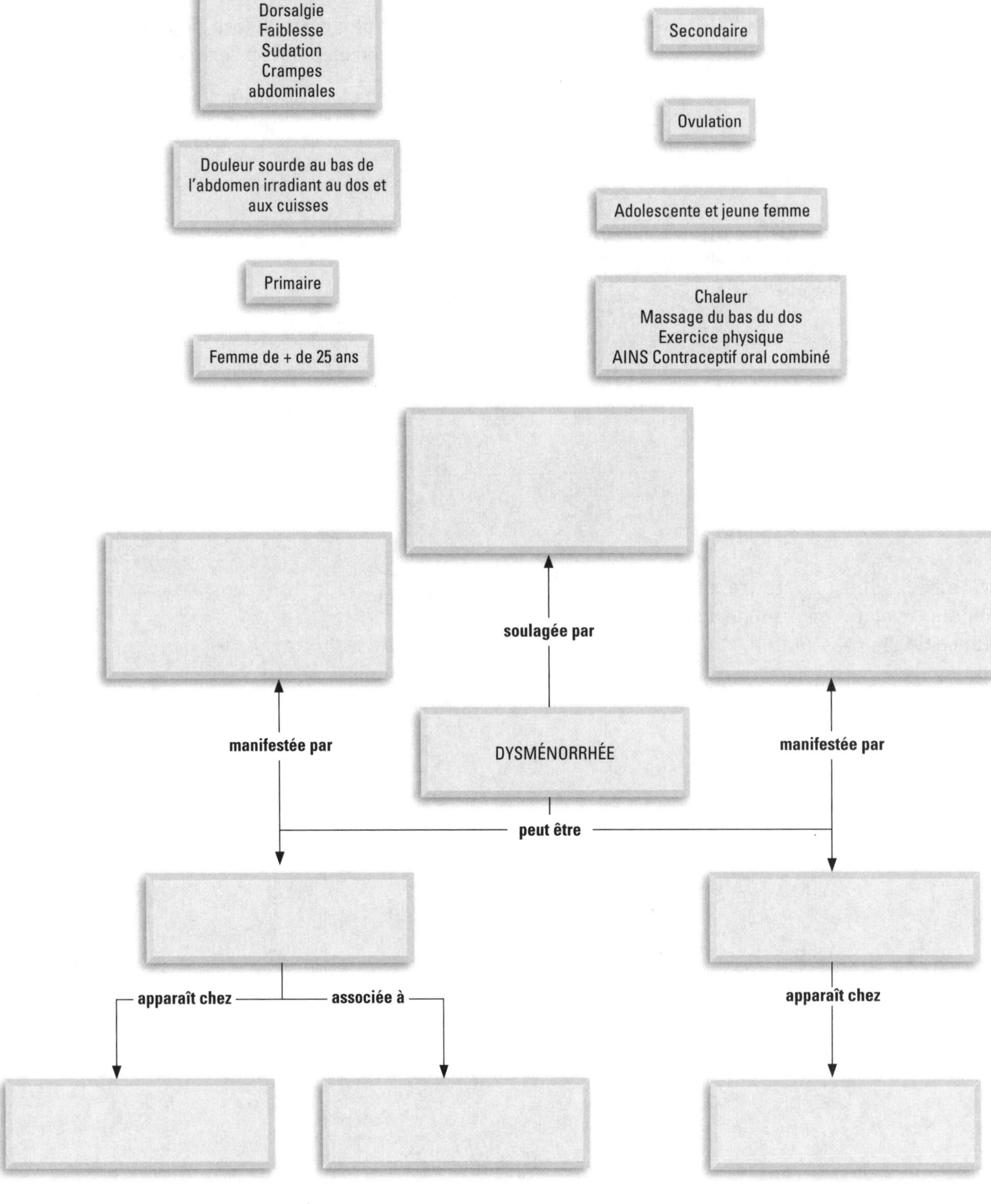

Situation de santé **Jugement clinique**

SA06

Problème de fertilité du couple et hérédité

Clients : Amanda Turner et Peter Montgomery

Solutionnaire 

Chapitre à consulter

5 Problèmes génétiques et infertilité

Amanda Turner, 32 ans, et son conjoint Peter Montgomery, 34 ans, sont en couple depuis 3 ans. Ils consultent aujourd'hui, car depuis un an, ils essaient de concevoir un enfant, mais sans y parvenir. Madame Turner a une fille de huit ans, née d'une union précédente. Monsieur Montgomery n'a jamais eu d'enfant. ▶

1. Madame Turner dit que sa grossesse s'était déroulée normalement et qu'elle était devenue enceinte rapidement après l'arrêt des anovulants. C'est pourquoi elle estime que seul son conjoint actuel devrait subir une investigation pour infertilité. Que devriez-vous lui répondre ?

2. Monsieur Montgomery se soumettra à une analyse de sperme. Il vous demande s'il y a un moment particulier où doit se faire le test. Que devriez-vous répondre ?

a) À n'importe quel moment

b) Après une abstinence d'une semaine

c) Après une abstinence de deux à cinq jours

d) Après une abstinence de 24 heures

Réponse et justification :

3. Quels résultats de l'analyse de la densité et de la motilité du sperme de monsieur Montgomery seraient considérés comme favorables à la fécondité ?

4. Vous procédez à l'examen physique de monsieur Montgomery, en portant une attention particulière aux organes génitaux. Nommez au moins trois observations que vous pourriez faire qui indiqueraient que les structures de l'appareil reproducteur du client sont normales.

5. À la suite à vos explications, madame Turner a accepté de passer elle aussi des examens pour l'infertilité, entre autres une épreuve de la progestine. Que permet de vérifier ce test ?

a) La réaction de la muqueuse de l'endomètre à la progestérone
b) L'élévation de la température basale en réponse à la progestérone
c) Les modifications de la glaire cervicale en réponse à la progestérone
d) La présence de l'ovulation durant le cycle menstruel

Réponse et justification :

▶ Les examens paracliniques ont démontré que l'origine du problème de fertilité du couple se trouve chez madame Turner. Le médecin lui a prescrit du Repronex[MD] (ménotropine). ▶

6. Madame Turner vous demande en quoi ce médicament va aider à traiter son problème de fertilité. Que devez-vous lui répondre ?

▶ Le couple est heureux de savoir qu'un traitement existe pour les aider à avoir un enfant. Cependant, la cliente dit avoir des inquiétudes à l'idée d'une grossesse. Elle vous raconte qu'à sa naissance, sa fille présentait une fente labiale. Bien que ce problème ait été réglé par la suite de façon chirurgicale, elle se demande si cela risque de se reproduire chez un deuxième enfant. ◀

7. Quelle information devriez-vous transmettre à la cliente et à son conjoint, relativement à l'inquiétude exprimée par madame Turner ?

8. À quel moment de sa vie intra-utérine la fente labiale s'est-elle probablement développée chez la fille de madame Turner ?

a) À la 1re ou 2e semaine
b) À la 5e ou 6e semaine
c) À la 7e ou 8e semaine
d) Après la 9e semaine

Réponse et justification :

Situation de santé **Jugement clinique**

SA07

Développement de l'embryon et du fœtus chez une adolescente enceinte

Cliente : Julia Labio

Solutionnaire

Chapitre à consulter

6 Anatomie et physiologie : grossesse

Julia Labio est une adolescente de 17 ans. Son vœu le plus cher est d'avoir des enfants aussitôt que ses études en soins infirmiers seront terminées. Elle y pense depuis sa tendre enfance. Aujourd'hui, elle est enceinte d'un copain rencontré dans une fête d'amis. Le jeune homme est prêt à assumer sa responsabilité. Julia prend la décision de garder le bébé même si cela a un impact important sur le déroulement de sa vie. Pour l'instant, elle se consacre à bien vivre sa grossesse, qui en est à la sixième semaine, et à observer tous les changements qu'elle entraîne. ▶

1. À quel stade de développement intra-utérin se situe la grossesse de Julia ?

2. Au stade où elle en est dans sa grossesse, Julia se dit inquiète au sujet du développement des organes de son bébé. Que doit-elle savoir quant aux risques associés à cette période de la grossesse ?

3. Julia sait que le liquide amniotique aide à maintenir une température corporelle constante et qu'il forme un coussin protégeant le fœtus contre les traumas. Afin qu'elle soit mieux informée, quelles sont les autres fonctions du liquide amniotique qu'elle devrait connaître (nommez-en au moins deux) ?

4. Julia se demande si le placenta a commencé à se former. Que doit-elle savoir à ce sujet ?

▶ Julia en est maintenant à 14 semaines de grossesse. Vous vérifiez la fréquence cardiaque fœtale (F.C.F.). ◀

5. À partir de combien de semaines le fœtus de Julia pourrait-il être viable?

a) 32 semaines après la conception.
b) 28 semaines après la conception.
c) 22 semaines après la conception.
d) 20 semaines après la conception.

Réponse et justification:

6. Julia aime beaucoup la musique et elle en écoute souvent. Elle se demande si son fœtus peut aussi l'entendre. Que devriez-vous lui répondre?

7. Lorsque vous prenez la F.C.F., quelle valeur devriez-vous considérer comme normale?

a) De 50 à 80 batt./min.
b) De 80 à 110 batt./min.
c) De 110 à 160 batt./min.
d) De 160 à 190 batt./min.

Réponse et justification:

À revoir

Embryon et fœtus (Liquide amniotique, Placenta, Période fœtale, Système cardiovasculaire, Système nerveux)

Situation de santé **Jugement clinique**

SA08

Suivi des signes normaux et anormaux au cours d'une grossesse chez une multipare

Cliente : Jacqueline Rougeau

Solutionnaire

Chapitre à consulter

6 Anatomie et physiologie : grossesse

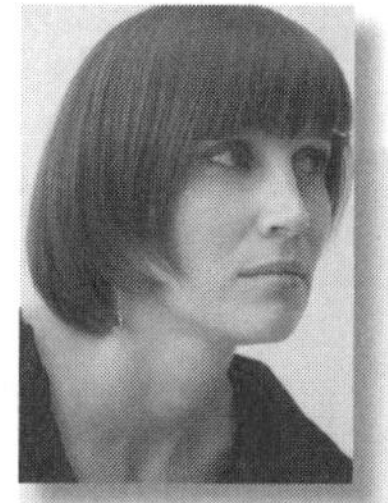

Jacqueline Rougeau, âgée de 35 ans, est enceinte de 10 semaines de son 5e enfant. Elle se présente à la clinique du groupe de médecine de famille de son quartier. À l'âge de 19 ans, elle a subi une interruption volontaire de grossesse après l'annonce d'une grossesse non désirée. Entre son 2e et son 3e enfant, elle a fait une fausse couche à 15 semaines de gestation. Les quatre grossesses antérieures qu'elle a menées à terme se sont relativement bien déroulées. ▶

1. Au moment du questionnaire initial, quels seraient les signes présomptifs que la cliente pourrait mentionner et les signes probables qui pourraient être observés chez elle?

2. La palpation de l'utérus de madame Rougeau permet entre autres de déterminer la grosseur de son utérus. Quelle devrait être cette grosseur à ce stade-ci de sa grossesse?

a) 8 × 8 cm.

b) 10 × 10 cm.

c) 12 × 12 cm.

d) 14 × 14 cm.

Réponse et justification :

À revoir

Signes de grossesse et *Système reproducteur et seins*

▶ Même si sa dernière grossesse remonte à sept ans, madame Rougeau se souvient que les contractions qu'elle avait eues au cours de celle-ci l'incommodaient beaucoup. ▶

3. Madame Rougeau demande à quel moment de la grossesse ces contractions vont recommencer. Que devrait-elle savoir à ce sujet?

4. Au cours de l'examen vaginal de la cliente, l'infirmière note un ramollissement de l'extrémité du col utérin. Comment s'appelle ce phénomène?

a) Le signe de Braxton.
b) Le signe de Hegar.
c) Le signe de Chadwick.
d) Le signe de Goodell.

Réponse et justification:

5. Vérifiez la bonne réponse à la question précédente. Qu'est-ce qui cause ce phénomène?

À revoir

Système reproducteur et seins (Modifications de la contractilité, Modifications du col utérin)

▶ Pendant ses autres grossesses, madame Rougeau devait toujours se lever très lentement, car elle présentait de l'hypotension orthostatique. Elle dit avoir aussi beaucoup de varices depuis qu'elle a des enfants et souffrir de la présence d'hémorroïdes. ▶

6. Qu'est-ce qui cause l'apparition des varices et des hémorroïdes chez la cliente?

À revoir

Changements des systèmes généraux de l'organisme (Pression artérielle)

▶ Madame Rougeau explique qu'elle a eu des thromboses à la suite de ses deux derniers accouchements. Le médecin lui a prescrit des injections sous-cutanées de daltéparine (Fragmin[MD]). ▶

7. Nommez un phénomène physiologique de la grossesse qui peut expliquer les thromboses antérieures de madame Rougeau.

a) Une augmentation des facteurs de coagulation.
b) Une baisse de l'absorption de la vitamine K.
c) Une augmentation de l'activité fibrinolytique.
d) Une diminution du nombre de plaquettes.

▶

Réponse et justification :

8. Pour quelle raison le médecin a-t-il prescrit des injections de daltéparine à madame Rougeau ?

À revoir

Changements des systèmes généraux de l'organisme (*Temps de coagulation*)

▶ Madame Rougeau a beaucoup de nausées et de vomissements régulièrement dans la journée. Elle dit qu'elle n'a pas éprouvé ces symptômes au cours de ses grossesses précédentes et elle a peur que cela nuise à son bébé. Elle a également remarqué qu'elle salivait beaucoup, au point où elle doit toujours avoir des papiers-mouchoirs pour pouvoir cracher le surplus de salive. ◀

9. Les nausées et les vomissements de la cliente peuvent-ils avoir des effets néfastes sur son fœtus ? Justifiez votre réponse.

10. À quoi serait dû le ptyalisme que présente madame Rougeau ?

À revoir

Changements des systèmes généraux de l'organisme (*Appétit, Bouche*)

Situation de santé **Jugement clinique**

SA09

Surveillance du bon déroulement de la grossesse chez une jeune adolescente

Cliente : Roseline Bournival

Solutionnaire 

Chapitre à consulter

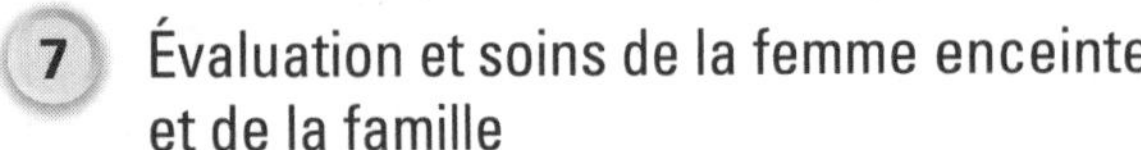

7 Évaluation et soins de la femme enceinte et de la famille

Le 2 novembre 2018, Roseline Bournival, âgée de 15 ans, se présente à la clinique de médecine familiale. Elle est accompagnée de son copain Adam, âgé de 15 ans également, et de leurs 2 parents respectifs. Roseline a eu ses dernières règles le 2 septembre 2018. Le jeune couple est très nerveux, mais aussi très heureux d'avoir décidé de garder ce bébé inattendu après en avoir longuement discuté ensemble et avec leurs parents. Roseline et Adam aimeraient connaître la date prévue de l'accouchement (DPA). ▶

1. Sachant que Roseline a un cycle menstruel régulier de 28 jours, comment allez-vous calculer la DPA selon la règle de Naegele?

2+7 = 9
09 + 9 = 18 → 12+6 → 9 juin 2019

DDM + 7 jours + 9 mois

2. Quelle sera la DPA de Roseline?

a) Le 26 mai 2019.

b) Le 5 juin 2019.

c) Le 9 juin 2019.

d) Le 5 juillet 2019.

Réponse et justification :

3. Adam a remarqué des variations d'humeur fréquentes chez Roseline. Les parents de cette dernière ont également noté ce changement. Parfois, elle est de bonne humeur et quelques minutes après, elle se met à pleurer pour un rien. Cela est-il normal? Justifiez votre réponse.

Oui, Changements hormonaux → sauts d'humeur
+ sentiments envers la grossesse, soucis financiers ...
Conseils : groupes d'entraide, demander consultation.

À revoir

Estimation de la date de l'accouchement et le tableau 7.7 *Malaises liés à la grossesse*

▶ Roseline et Adam demandent à leurs parents de quitter la salle d'examen un petit moment pour pouvoir discuter en privé avec l'infirmière. Le jeune couple est inquiet parce que la libido de Roseline a nettement diminué, tandis qu'avant, elle avait de fortes envies sexuelles. Adam s'inquiète du fait que sa copine ne l'aime peut-être plus ou qu'elle lui en veut de «l'avoir mise enceinte». Roseline l'assure que ce n'est pas cela, qu'elle l'aime beaucoup et qu'elle est maintenant contente d'être enceinte. ▶

4. Qu'est-ce qui peut expliquer les changements dans la libido de Roseline pendant sa grossesse?

À revoir

Adaptation de la mère (Réévaluation des relations personnelles)

▶ Au cours du questionnaire initial, Roseline avise l'infirmière qu'elle a un chat à la maison. Elle ajoute que c'est elle qui change habituellement la litière. ▶

5. Sachant cela, quelle analyse de laboratoire devra être effectuée chez Roseline?

a) Le dépistage de l'hépatite B.

b) Le dépistage du parvovirus.

c) Le dépistage du cytomégalovirus.

d) Le dépistage de la toxoplasmose.

Réponse et justification:

À revoir

Soins infirmiers: Antécédents médicaux (Analyses de laboratoire)

▶ À l'examen de 20 semaines de Roseline, l'infirmière mesure la hauteur de son utérus. L'adolescente dit qu'elle ressent des brûlures d'estomac depuis quelques jours. Elle s'inquiète de ne pas sentir son bébé bouger alors qu'elle est rendue au milieu de sa grossesse. ▶

6. Pourquoi la hauteur utérine de la cliente doit-elle être mesurée?

7. À quel moment de sa grossesse Roseline devrait-elle sentir les mouvements de son fœtus pour la première fois?

8. Comment Roseline saura-t-elle que son fœtus bouge?

9. Roseline boit du lait ou une tisane chaude pour diminuer ses brûlures d'estomac. Elle ne veut pas prendre d'antiacides offerts en vente libre. Nommez un autre moyen qu'elle pourrait utiliser pour soulager son pyrosis.

(a) Éviter les aliments gras.
b) Consommer plus de fibres.
c) S'allonger après les repas.
d) Ne pas boire durant le repas.

Réponse et justification:

+ ↓ portions
+ ↓ quantité des aliments qui donnent des flatulences

À revoir

Soins infirmiers: Antécédents médicaux (*Hauteur utérine, Âge gestationnel*) et *Soins infirmiers: Malaises courants de la grossesse*

▶ Roseline en est rendue à sa 34e semaine de grossesse. L'infirmière lui demande de se coucher sur la table d'examen pour mesurer sa hauteur utérine et écouter le cœur fœtal. Après 5 minutes dans cette position, elle commence à se sentir mal et dit se sentir étourdie; elle a des nausées et présente de la diaphorèse. ◀

10. Quel problème devez-vous suspecter chez Roseline?

a) Une hypertension gestationnelle.
(b) Un syndrome de compression aortocave.
c) La présence d'une prééclampsie.
d) Un décollement du placenta.

Réponse et justification:

Paleur, vertige, étourdiss...

11. Quel phénomène physiologique explique l'apparition des manifestations que Roseline présente?

Utérusse trop lourde sur la veine cave et sur l'aorte.

12. Comment faut-il intervenir pour faire disparaître les manifestations présentées par Roseline?

demi-assise ou à côté gauche

À revoir

Soins infirmiers: Antécédents médicaux (*Visites de suivi*) et *Soins infirmiers: Malaises courants de la grossesse*

Situation de santé **Jugement clinique**

SA10 Apport nutritionnel durant la grossesse

Cliente : Mylène Portelance

Solutionnaire

Chapitre à consulter

8 Nutrition de la mère et du fœtus

Mylène Portelance, âgée de 28 ans, vient d'apprendre qu'elle est enceinte de son premier enfant. Cette grossesse qu'elle a planifiée avec son conjoint la rend très heureuse. Cette femme travaille à temps complet comme agente de bureau pour une compagnie de transport. Elle mesure 1,76 m et pesait 53,5 kg avant sa grossesse. Selon la date de ses dernières menstruations, elle en serait à sa cinquième semaine de grossesse. C'est une femme active, en bonne santé, qui ne présente aucun problème médical. Son apparence la préoccupe beaucoup. Elle a peur de devenir grosse et se demande combien de kilogrammes elle devrait prendre pendant sa grossesse. Aussi, elle aimerait savoir s'il est bon de s'adonner à des séances d'activité physique même en étant enceinte. ▶

1. Quelle serait la prise de poids recommandée pour madame Portelance?

a) De 5 à 9 kg

b) De 7 à 11,5 kg

c) De 11,5 à 16 kg

d) De 12,5 à 18 kg

Réponse et justification :

2. Madame Portelance peut-elle s'adonner à des activités physiques pendant sa grossesse? Justifiez votre réponse.

3. Nommez deux éléments de la situation de madame Portelance qui peuvent représenter un risque sur l'issue de sa grossesse. Justifiez votre réponse.

À revoir

Besoins énergétiques (*Gain pondéral*) et *Besoins nutritionnels liés à l'activité physique pendant la grossesse*

▶ L'infirmière donne de l'enseignement sur l'alimentation de la femme enceinte à madame Portelance. Elle lui précise l'augmentation calorique recommandée à l'aide d'exemples concrets tirés du *Guide alimentaire canadien*. Au cours de l'enseignement, la cliente mentionne son goût marqué pour le café. Elle précise sa consommation en indiquant qu'elle en boit trois tasses par jour et se demande si elle peut continuer ainsi. ▶

4. Quels renseignements faut-il fournir à madame Portelance sur l'apport calorique recommandé?

5. Madame Portelance devrait-elle continuer à consommer la même quantité de café?

a) Oui, mais il serait préférable qu'elle boive du café décaféiné.

b) Oui, car trois tasses de café ont peu d'impact sur le fœtus.

c) Non, car il y a un risque plus élevé d'avortement spontané.

d) Non, car le café représente un puissant stimulant du système nerveux central.

Réponse et justification:

À revoir

Besoins énergétiques (*Rythme du gain pondéral*) et *Liquides*

▶ Madame Portelance est maintenant rendue à sa 20e semaine de grossesse. Ses examens et analyses de suivi ont été réalisés la semaine dernière. Son résultat d'hémoglobine est de 101 g/L, et son hématocrite est à 31 %. Son médecin lui a prescrit un supplément de fer à prendre tous les jours. Au cours de l'examen physique, l'infirmière constate que madame Portelance a la peau sèche et irritée. De plus, la cliente mentionne que ses ongles sont cassants et qu'elle se sent facilement fatiguée. L'infirmière suspecte une alimentation inadéquate et décide de procéder à une évaluation physique et nutritionnelle en profondeur afin de lui formuler des recommandations. De plus, elle lui rappelle l'importance d'une saine alimentation pendant la grossesse. ▶

6. À quel problème de santé associez-vous les derniers résultats d'analyses de la cliente?

a) À l'anémie.
b) À la malnutrition.
c) À la polyglobulie.
d) À l'hémodilution.

Réponse et justification:

7. Selon les résultats d'hémoglobine et d'hématocrite de madame Portelance, nommez des exemples d'aliments qu'elle devrait privilégier.

8. Pourquoi la cliente devrait-elle augmenter sa consommation d'aliments riches en fer?

a) Pour éviter une anémie ferriprive possible pendant la grossesse.
b) Il faut augmenter la consommation de fer à cause des nausées.
c) La grossesse contribue au développement d'une carence en fer.
d) Le fer participe à la formation de l'hémoglobine maternelle.

Réponse et justification:

9. Madame Portelance pourrait souffrir de constipation occasionnée par l'administration du supplément de fer prescrit par son médecin. Citez trois recommandations à lui transmettre pour prévenir ou diminuer cet effet.

10. Nommez au moins six signes pouvant être décelés au cours de l'examen physique en lien avec une mauvaise alimentation, autres que ceux présentés par la cliente.

À revoir

Principaux minéraux (*Fer*) *Soins infirmiers : Suivi nutritionnel* (*Examen physique, Analyses de laboratoire*) et *Constipation*

▶ Les semaines s'écoulent. Madame Portelance est rendue à 32 semaines de grossesse, et l'examen physique révèle une nette amélioration de son état. Elle dit avoir mis en application les suggestions faites. Elle ajoute qu'elle se sent mieux et a plus d'énergie qu'auparavant. La prise hebdomadaire de son poids démontre une augmentation d'environ 0,5 kg par semaine. ◀

11. L'augmentation pondérale hebdomadaire de madame Portelance est-elle adéquate ?

a) Oui. Le gain de poids hebdomadaire recommandé devrait être de 0,5 kg.

b) Oui. L'IMC de la cliente était inférieur à la normale avant sa grossesse.

c) Non. Elle aurait dû prendre plus de 1 kg par semaine au 3e trimestre.

d) Non. Elle aurait dû prendre de 0,3 à 0,4 kg comme gain de poids moyen.

Réponse et justification :

À revoir

Besoins énergétiques (*Gain pondéral*)

Situation de santé **Jugement clinique**

SA11

Conséquences sur le fœtus de la consommation de cigarette, de cocaïne et de la malnutrition

Risque de contracter une infection transmissible sexuellement et par le sang (ITSS)

Cliente : Jessie Langlais

Solutionnaire 

Chapitres à consulter

4 Problèmes de santé de la femme

9 Évaluation de la grossesse à risque élevé

Jessie Langlais, âgée de 18 ans, se présente à la clinique de médecine familiale pour son premier rendez-vous prénatal. Elle est enceinte de 20 semaines de son 2e enfant. Au cours du questionnaire initial, elle mentionne à l'infirmière qu'elle fume la cigarette, qu'elle boit régulièrement de l'alcool et qu'elle prend parfois des médicaments offerts en vente libre. Elle consomme de la cocaïne et d'autres drogues illicites chaque fin de semaine et, pour payer cela, elle se prostitue régulièrement. Elle ne sait pas qui est le père de ses deux enfants. Elle se présente à son rendez-vous avec sa mère qui s'inquiète beaucoup de l'état de sa fille et de ses deux petits-enfants. ▶

1. Quel risque le fœtus de Jessie court-il en lien avec la consommation de cigarettes ?

   a) De multiples malformations cardiaques.
   b) Une dépression du système nerveux central.
   c) Des signes d'intoxication à la nicotine.
   d) Un faible poids à la naissance.

   Réponse et justification :

2. Si Jessie consommait plus de quatre tasses de café quotidiennement, à quel risque serait-elle exposée ?

   a) Un travail prématuré.
   b) Un avortement spontané.
   c) Un décollement placentaire.
   d) Un placenta prævia.

   Réponse et justification :

3. Nommez les risques auxquels est exposé le fœtus de Jessie et qui sont dus à sa consommation régulière de cocaïne.

4. Quelles manifestations cliniques laisseraient suspecter une possible ITSS chez Jessie?

a) Urine trouble et dysménorrhée.
b) Aménorrhée et mastalgie.
c) Leucorrhée et prurit vulvaire.
d) Métrorragie et douleurs abdominales.

Réponse et justification:

5. Quelle ITSSS Jessie risque-t-elle d'attraper si elle a consommé des drogues par injection ou par partage de seringues?

a) L'hépatite A.
b) La chlamydia.
c) L'hépatite C.
d) La syphilis.

Réponse et justification:

À revoir

Facteurs de risque et leurs composantes (chapitre 9) et *Infections transmissibles sexuellement et par le sang* (*Prévention*) (chapitre 4)

▶ Jessie mentionne qu'elle a reçu un diagnostic de gonorrhée il y a un mois et qu'elle a tardé à prendre la médication prescrite. Elle dit que c'est sa mère qui l'avait obligée à passer le test et qu'en réaction immédiate à cette obligation, elle a décidé de ne pas se soigner. Elle avise aussi l'infirmière qu'elle n'utilise pas toujours le condom, car elle trouve que cela lui coûte trop cher. ▶

6. Considérant le diagnostic de gonorrhée de Jessie, quel risque son bébé peut-il encourir à l'accouchement?

a) Il peut contracter la gonorrhée lui aussi.
b) Il peut développer une ophtalmie purulente.
c) Il risque de présenter de l'ictère généralisé.
d) Il est possible qu'il ait un *rash* sur tout le corps.

Réponse et justification:

7. Où Jessie pourrait-elle se procurer des condoms gratuitement?

À revoir

Infections bactériennes transmissibles sexuellement et par le sang (*Gonorrhée*) et *Infections transmissibles sexuellement et par le sang* (*Stratégies de prévention et de réduction des risques*) (chapitre 4)

▶ Jessie avise l'infirmière qu'elle retournera habiter chez sa mère pour le bien de l'enfant à venir et pour voir plus régulièrement son petit garçon de deux ans qui demeure à cet endroit. Avant, elle vivait dans la rue et ne se nourrissait qu'occasionnellement. ▶

8. Quel risque le fœtus de Jessie court-il si elle ne se nourrit pas convenablement et, par le fait même, qu'elle ne prend pas assez de poids ?

a) Être atteint du syndrome d'alcoolisme fœtal.
b) Présenter un retard de croissance intra-utérin.
c) Mourir subitement après l'accouchement.
d) Être atteint de troubles métaboliques.

Réponse et justification :

À revoir

Facteurs de risque et leurs composantes (*Troubles médicaux et obstétricaux*) (chapitre 9)

▶ Jessie dit que son premier bébé pesait seulement 2 000 g à sa naissance, à 32 semaines de grossesse. L'accouchement fut long et difficile, et il s'est terminé par l'utilisation de la ventouse obstétricale, car elle n'avait plus la force de pousser. ▶

9. Lorsque l'infirmière écoute le cœur du fœtus, Jessie est surprise de pouvoir l'entendre si tôt. À quelle semaine de grossesse le cœur du fœtus peut-il être entendu ?

10. Le médecin a prescrit une échographie à la cliente. Même si cet examen a déjà été fait au moment de sa première grossesse, Jessie ne se souvient pas de son utilité. Que devrait-elle savoir à propos des buts de cet examen ?

11. Comme Jessie n'est pas certaine de la date de ses dernières menstruations, par quel moyen l'âge de sa grossesse peut-il être déterminé ?

12. Une amie de Jessie lui a parlé du test de la clarté nucale pour vérifier si son bébé ne serait pas trisomique. Jessie aimerait passer ce test. À quel moment de sa grossesse pourrait-elle le faire ?

a) Avant la 10e semaine.
b) Entre la 10e et la 14e semaine.
c) À la 15e semaine.
d) Entre la 16e et la 19e semaine.

Réponse et justification :

À revoir

Échographie (*Catégories d'échographie, Âge gestationnel, Troubles génétiques et anomalies physiques chez le foetus*) (chapitre 9)

▶ Jessie sait qu'elle est enceinte depuis une semaine seulement. Cette grossesse n'était pas planifiée. ▶

13. Quel médicament aurait-elle dû prendre de façon prophylactique avant de concevoir et au début de la grossesse ? Justifiez votre réponse.

14. Sachant que Jessie a tardé à prendre la médication recommandée, quel test devra-t-elle subir pour être certaine que son fœtus ne présente aucun problème physique ?

a) Une amniocentèse avec échoguidage.
b) L'analyse biochimique des enzymes.
c) Le test d'acétylcholinestérase.
d) Les taux d'alphafœtoprotéine (AFP) amniotiques.

Réponse et justification :

À revoir

Tests sanguins chez la mère (Alphafoetoprotéine) (chapitre 9)

▶ Un an plus tard, Jessie revient consulter à la clinique de médecine familiale. Elle dit s'être enfin prise en main. Elle ne consomme plus de drogues, elle a arrêté de fumer et elle ne se prostitue plus. Il y a 8 mois, elle a donné naissance à son 2e garçon à 36 semaines de grossesse, et il pesait 3 000 g. Jessie vit chez sa mère et reçoit de l'aide sociale. Elle commence à penser à se prendre un petit appartement. Son aîné, qui a presque quatre ans, a reçu un diagnostic de trouble de déficit de l'attention avec ou sans hyperactivité. ▶

15. Quel pourrait être la cause du problème du fils aîné de Jessie ?

a) La consommation d'alcool de Jessie pendant sa première grossesse.
b) La surconsommation de caféine échelonnée sur plusieurs années.
c) L'abus de cocaïne ou d'autres drogues illicites comme l'héroïne.
d) La prise de médicaments offerts en vente libre occasionnellement.

Réponse et justification :

16. Malgré la reprise en main de Jessie, quel facteur peut encore avoir un impact sur une prochaine grossesse ? Justifiez votre réponse.

À revoir

Facteurs de risque et leurs composantes (chapitre 9)

► Jessie mentionne qu'elle a consulté un médecin la semaine dernière pour des douleurs continuelles dans le bas-ventre. Elle a reçu un diagnostic d'atteinte inflammatoire pelvienne (AIP). ◄

17. À quoi serait dû le problème d'AIP de Jessie?

a) À une chlamydia antérieure qui n'a peut-être pas été diagnostiquée.

b) À la prostitution à laquelle elle s'est adonnée dans le passé.

c) À la gonorrhée qu'elle a tardé à traiter l'année dernière.

d) Aux problèmes urinaires qui accompagnent une gonorrhée.

Réponse et justification:

18. Quelle autre séquelle de la gonorrhée Jessie peut-elle craindre?

a) Une endométrite .

b) L'infertilité.

c) Des infections urinaires récurrentes.

d) La vaginite à trichomonas.

Réponse et justification:

19. Quelles seraient les mesures que devrait prendre Jessie relativement à son problème d'AIP? Citez-en deux.

20. Jessie pourrait-elle utiliser le stérilet comme méthode contraceptive? Justifiez votre réponse.

21. Quelle méthode contraceptive Jessie devrait-elle privilégier?

À revoir

infections bactériennes transmissibles sexuellement et par le sang (*Gonorrhée, Atteinte inflammatoire pelvienne*) et *Soins infirmiers...* (chapitre 4)

Situation de santé **Jugement clinique**

SA12 Diabète gestationnel

Cliente : Annabelle Lemay

Solutionnaire 

Chapitre à consulter

10 Grossesse à risque, maladies préexistantes et problèmes associés

Annabelle Lemay, âgée de 27 ans, est admise à l'unité mère-enfant avec un diagnostic de diabète gestationnel. Sa grossesse en est à 25 semaines. L'épreuve d'hyperglycémie provoquée P.O. a confirmé le diagnostic. Elle est admise pour une évaluation plus poussée puisque son fœtus présente un RCIU. De plus, l'enseignement portant sur le diabète doit être entrepris. La cliente mesure 1,60 m et pèse maintenant 65 kg ; elle pesait 60,5 kg au début de sa grossesse. ▶

1. Quel lien établissez-vous entre le poids actuel de madame Lemay et la pathogenèse du diabète gestationnel ?

2. Vous mesurez la glycosurie de madame Lemay au moyen d'une bandelette réactive chaque matin. Dans quel but effectuez-vous cette vérification ?

À revoir

Classification des types de diabète (*Diabète gestationnel*)

▶ Les résultats de l'échographie obstétricale et du test de réactivité fœtale confirment que le fœtus présente un RCIU. L'infirmière a noté le problème prioritaire « *Risque de préjudice au fœtus en raison d'un RCIU* » dans l'extrait du PTI de la cliente. ▶

3. Indiquez une directive infirmière applicable au problème prioritaire inscrit dans l'extrait du PTI de madame Lemay ci-après.

Extrait de PTI

CONSTATS DE L'ÉVALUATION								
Date	Heure	N°	Problème ou besoin prioritaire	Initiales	RÉSOLU / SATISFAIT			Professionnels / Services concernés
					Date	Heure	Initiales	
2018-06-27	*11:30*	*2*	*Risque de préjudice au fœtus en raison d'un RCIU*	*M.M.*				

SUIVI CLINIQUE							
Date	Heure	N°	Directive infirmière	Initiales	CESSÉE / RÉALISÉE		
					Date	Heure	Initiales
2018-06-27	*11:30*			▲ Vos initiales			

Signature de l'infirmière	Initiales	Programme / Service	Signature de l'infirmière	Initiales	Programme / Service
Margaret Maxwell	*M.M.*	*Unité mère-enfant*			
▲ Votre signature	▲ Vos initiales	*Unité mère-enfant*			

4. Dans le PSTI de madame Lemay, il est inscrit de mesurer la hauteur utérine. Que vous indiquera cette mesure?

a) Elle vous permet de suivre la croissance du fœtus.

b) Elle vous indique si la grossesse se poursuit bien.

c) Elle vous renseigne sur la prise de poids de la mère.

d) Elle vous permet de détecter un polyhydramnios.

Réponse et justification:

______

______

______

______

______

______

À revoir

Soins infirmiers: Diabète gestationnel (Surveillance fœtale)

▶ Madame Lemay se questionne sur son alimentation afin de maintenir une glycémie normale. Elle ne sait pas combien de collations elle doit prendre. Elle travaille comme journaliste pigiste à la maison et elle a plutôt tendance à grignoter tout en travaillant. ▶

5. Donnez trois éléments sur lesquels devrait porter votre enseignement à madame Lemay quant à son alimentation.

______

______

______

______

______

______

______

______

À revoir

Soins infirmiers: Diabète gestationnel (Alimentation)

▸ En tenant compte de l'état de madame Lemay, vous lui suggérez des promenades à pied de 30 minutes. ▸

6. Combien de fois par semaine devrait-elle faire cet exercice?

a) Deux ou trois fois.
b) De quatre à six fois.
c) Un minimum de cinq fois.
d) Un maximum de sept fois.

Réponse et justification:

7. Quel serait le meilleur moment pour la cliente de faire cet exercice?

a) Trente minutes avant un repas.
b) Une heure avant un repas.
c) Trente minutes après un repas.
d) En soirée avant le coucher.

Réponse et justification:

À revoir

Soins infirmiers: Diabète gestationnel (Exercice)

▸ Madame Lemay se trouve à l'unité mère-enfant depuis maintenant deux jours. Vers 15 h, elle signale les malaises suivants: vision trouble, diaphorèse et tremblements des membres supérieurs. ▸

8. Que révèlent ces malaises?

a) Un épisode d'hypoglycémie.
b) Un manque d'insuline.
c) Un précoma insulinique.
d) Un début d'hyperglycémie.

Réponse et justification:

9. Vérifiez la bonne réponse à la question précédente. Quelle sera alors l'intervention prioritaire à effectuer?

a) Évaluer s'il y a d'autres manifestations.
b) Appliquer le protocole de diabète.
c) Administrer une source de glucides.
d) Mesurer la glycémie capillaire.

Réponse et justification:

À revoir

Soins infirmiers: Diabète gestationnel (Suivi de la glycémie)

▸ Madame Lemay présente une glycémie capillaire à 3,0 mmol/L. ▸

10. À la lumière de ce résultat, quelle intervention faut-il effectuer?

a) Lui donner 125 mL de jus non sucré.
b) Revérifier la glycémie dans 15 minutes.
c) Aviser le médecin immédiatement.
d) Administrer du glucagon si prescrit.

Réponse et justification:

▸ Après 15 minutes, la glycémie de la cliente indique 3,1 mmol/L. ▸

11. Que faut-il donner à la cliente pour faire monter sa glycémie ? Justifiez votre réponse.

12. À partir des données des trois derniers épisodes de la situation de madame Lemay, que devraient contenir les notes d'évolution au dossier ?

Extrait des notes d'évolution

▶ Madame Lemay a besoin d'insuline pour équilibrer sa glycémie ; elle demande si elle devra poursuivre ses injections après son accouchement. ◀

13. Que devriez-vous lui répondre à ce sujet ?

À revoir

Soins infirmiers : Diabète gestationnel (Période postnatale)

Situation de santé **Jugement clinique**

SA13

Infection des voies urinaires inférieures et décollement prématuré du placenta

Cliente : Josianne Gosselin

Solutionnaire

Chapitre à consulter

11 Grossesse à risque : états gestationnels

Josianne Gosselin, âgée de 34 ans, est enceinte de 12 semaines de son 2e enfant. Son aîné, prénommé Jacob, est né par accouchement vaginal il y a deux ans. Elle est du groupe sanguin A et de facteur Rh négatif. Madame Gosselin ne présentait aucun problème particulier jusqu'à maintenant. Avant la grossesse, elle avait un indice de masse corporelle de 21. Elle surveille son alimentation et fait des randonnées de vélo une ou deux fois par semaine. Toutefois, elle fume quelques cigarettes par jour, malgré les recommandations de son médecin. Elle est bien soutenue par son conjoint, adore lire des romans et porte des lentilles cornéennes pour corriger un problème de vision.

Madame Gosselin consulte son médecin de famille à la clinique pour son suivi de grossesse. Actuellement, elle a de la difficulté à uriner, elle éprouve une sensation de pression à la région sus-pubienne, de même qu'une importante sensation de brûlure à la miction. Ses signes vitaux sont les suivants : P.A. : 123/82 mm Hg ; F.C. : 72 batt./min ; F.R. : 14 R/min ; T° : 36,3 °C. Elle ne présente pas de nausées ou de vomissements, pas de frissons et aucune douleur aux flancs. L'urine de la cliente est trouble et nauséabonde. À la suite de l'entrevue et de l'examen physique réalisés par son médecin, une analyse sommaire et une culture des urines sont effectuées. Le médecin diagnostique une infection des voies urinaires inférieures et prescrit un traitement antibiotique accompagné de la prise de phénazopyridine. Madame Gosselin est atteinte de ce type d'infection pour la première fois. ▶

1. Formulez deux questions à poser à la cliente permettant de compléter l'évaluation initiale en lien avec le diagnostic posé et précisez leur pertinence.

2. Énoncez trois recommandations à faire à la cliente relatives au traitement antibiotique et justifiez-les.

3. Quelle recommandation particulière madame Gosselin doit-elle suivre en lien avec la prise de phénazopyridine ?

   a) Ne pas se coucher 30 minutes après la prise du médicament.

   b) Toujours prendre le médicament l'estomac vide (à jeun).

   c) Dissoudre le comprimé dans de l'eau pour une meilleure absorption.

   d) Éviter de porter ses lentilles cornéennes pour la durée du traitement.

   Réponse et justification :

4. Afin d'éviter toute récidive de l'infection urinaire, précisez au moins cinq moyens de prévention qui devraient être expliqués à la cliente.

5. À la clinique, un plan thérapeutique infirmier (PTI) mentionnant l'infection urinaire devrait-il être ajouté dans le dossier médical de madame Gosselin ? Justifiez votre réponse.

À revoir

Infections des voies urinaires (*Cystite*) et *Soins infirmiers : Infections des voies urinaires* (*Enseignement à la cliente*)

▶ L'infection se résorbe, et madame Gosselin poursuit sa grossesse de façon tout à fait normale. À 38 1/7 semaines de grossesse, elle présente un saignement vaginal ainsi qu'une douleur utérine ayant débuté à la suite d'une petite chute lorsqu'elle a perdu pied en descendant d'un trottoir, sans autre conséquence selon ses dires. Inquiète, elle se présente à l'accueil obstétrical du centre hospitalier à 15 h 15. Vous procédez à son évaluation initiale, dont la prise de ses signes vitaux. ▶

6. Nommez deux éléments importants à vérifier auprès de madame Gosselin afin de bien évaluer le saignement.

7. Que devez-vous surveiller chez la cliente qui vous permettrait de détecter efficacement la présence d'un saignement important chez madame Gosselin ?

a) Sa F.C.
b) Sa diurèse.
c) Sa P.A.
d) Sa F.R.

Réponse et justification :

8. Nommez six éléments à évaluer chez madame Gosselin associés à la douleur utérine qu'elle ressent.

À revoir

Saignement à un stade avancé de la grossesse (Placenta prævia – Manifestations cliniques, Décollement prématuré du placenta (hématome rétroplacentaire) – Manifestations cliniques)

▶ L'échographie ne montre aucune particularité du placenta. Les signes vitaux de madame Gosselin se maintiennent dans les valeurs normales, de même que la fréquence cardiaque fœtale (F.C.F.). Les résultats à divers tests sanguins tels que l'hémogramme et des tests de coagulation se sont tous révélés dans les valeurs normales. Malgré tout, l'équipe médicale suspecte un décollement prématuré léger du placenta et désire effectuer un déclenchement du travail à l'aide de l'ocytocine. ▶

9. Outre la chute qu'elle a faite, quel facteur rend madame Gosselin à risque de présenter un décollement prématuré du placenta ?

a) Son âge (elle a plus de 30 ans).
b) La multiparité (2e grossesse).
c) Le tabac (quelques cigarettes par jour).
d) La cystite à 12 semaines de grossesse.

Réponse et justification :

10. Quel problème prioritaire faudrait-il inscrire dans l'extrait du PTI de madame Gosselin? Justifiez votre réponse.

Extrait de PTI

CONSTATS DE L'ÉVALUATION								
Date	Heure	N°	Problème ou besoin prioritaire	Initiales	RÉSOLU / SATISFAIT			Professionnels / Services concernés
					Date	Heure	Initiales	
2018-08-15	*15:15*							

Signature de l'infirmière	Initiales	Programme / Service	Signature de l'infirmière	Initiales	Programme / Service

Votre signature — Vos initiales — Vos initiales

11. Quels sont les éléments de la note d'évolution suivante qui justifient le bon problème prioritaire indiqué à la question précédente?

Extrait des notes d'évolution
2018-08-15 15:15 *Saignement vaginal et douleur utérine à la suite d'une chute en descendant le trottoir. Signes vitaux et F.C.F.: voir feuille spéciale. Résultats d'hémogramme et des tests de coagulation normaux.*

▶ Le travail et l'accouchement se déroulent sans particularité. À 5 h 58, madame Gosselin donne naissance à une petite fille de 2 932 g, qui présente un indice d'Apgar de 8-10 et dont le groupe sanguin a un facteur Rh positif. Un test de Kleihauer-Betke est effectué chez la cliente en période postpartum, de même que des contrôles de tests liés à la coagulation. Les résultats de ces derniers se sont avérés normaux, tout comme à son arrivée au centre hospitalier. ◀

12. Pourquoi le test Kleihauer-Betke est-il effectué chez madame Gosselin ?

a) Pour déterminer la nécessité d'une transfusion sanguine.

b) Pour établir le risque d'apparition d'un syndrome HELLP.

c) Pour orienter la thérapie à l'immunoglobuline $Rh_o(D)$.

d) Pour dépister l'apparition d'une chorioamnionite.

Réponse et justification :

13. À partir des dernières données connues de la condition clinique de madame Gosselin, ajustez l'extrait de son PTI pour la section « Constats de l'évaluation ».

Extrait de PTI

Vos initiales → Initiales (Constats) ; Vos initiales → Initiales (Résolu / Satisfait)

CONSTATS DE L'ÉVALUATION								
Date	Heure	N°	Problème ou besoin prioritaire	Initiales	RÉSOLU / SATISFAIT Date	Heure	Initiales	Professionnels / Services concernés
2018-08-15	15:15	2	Signes de décollement prématuré du placenta					

Signature de l'infirmière	Initiales	Programme / Service	Signature de l'infirmière	Initiales	Programme / Service
		Unité mère-enfant			

Votre signature → Signature de l'infirmière ; Vos initiales → Initiales

À revoir

Décollement prématuré du placenta (hématome rétroplacentaire) (Manifestations cliniques)

Situation de santé **Jugement clinique**

SA14 Évaluation infirmière pendant le travail

Cliente : Virginie Brodeur

Solutionnaire

Chapitre à consulter

12 Anatomie et physiologie : travail et accouchement

Virginie Brodeur, âgée de 32 ans (G2, P0, A1), est enceinte de 38 5/7 semaines. Croyant son travail amorcé, elle se présente à l'unité mère-enfant. Elle dit avoir perdu du mucus épais et légèrement teinté de sang par le vagin il y a une heure. Vous l'examinez et constatez que le fœtus est en position O.I.D.A. ; vous notez aussi que la hauteur de la présentation est à +2. ▶

1. Plusieurs facteurs influent sur le déplacement du fœtus dans la filière pelvigénitale. Parmi ces facteurs, lequel est prépondérant ?

a) La position fœtale.

b) La taille de la tête.

c) L'attitude fœtale.

d) L'orientation fœtale.

Réponse et justification :

2. Le fœtus de la cliente se présente en position O.I.D.A. Qu'est-ce que cela signifie ?

3. Que vous indique la hauteur de la présentation à +2 ?

a) Le fœtus est engagé.

b) L'accouchement est imminent.

c) Les contractions sont efficaces.

d) Le col mesure 2 cm de long. ▶

Réponse et justification :

4. Pourquoi est-il important d'évaluer la hauteur de la présentation au cours de l'examen initial de madame Brodeur ?

5. Le fœtus de madame Brodeur se présente selon une attitude normale. Cette attitude permet que ce soit le plus petit diamètre antéropostérieur de la tête fœtale qui franchisse le petit bassin de la mère. Comment se nomme ce diamètre de la tête fœtale ?

a) Le diamètre bipariétal.
b) Le diamètre sous-occipito-bregmatique.
c) Le diamètre bisciatique.
d) Le diamètre occipito-mentonnier.

Réponse et justification :

6. Quels sont les cinq facteurs qui influeront sur le travail de madame Brodeur ?

À revoir

Facteurs qui influent sur le travail

▶ Alors que vous procédez à l'examen vaginal de madame Brodeur, vous constatez que le col de l'utérus est dilaté à 2 cm et effacé à 75 %. Les membranes amniotiques sont intactes. La cliente ressent des contractions toutes les 3 à 5 minutes, d'une durée de 30 à 40 secondes et d'intensité faible à modérée. ▶

7. Le travail de madame Brodeur est-il avancé? Justifiez votre réponse à partir des données relatives à l'effacement et à la dilatation du col utérin.

8. Quelles données vous permettent de dire que madame Brodeur est à la phase de latence du premier stade du travail?

a) Contractions d'intensité faible à modérée, d'une durée de 30 à 40 secondes.

b) Hauteur de la présentation à +2 et membranes amniotiques intactes.

c) Dilatation du col utérin à 2 cm et effacement du col utérin à 75 %.

d) Fœtus en position O.I.D.A. et perte du bouchon muqueux.

Réponse et justification:

9. Écrivez une note d'évolution au dossier de madame Brodeur à partir des données de cet épisode.

Extrait des notes d'évolution

10. Pourquoi est-il important d'encourager madame Brodeur à varier les positions pendant le travail?

11. Quelle position pourrait nuire à la descente du fœtus ?

a) La position couchée.

b) La position accroupie.

c) La position assise.

d) La position à genoux.

Réponse et justification :

12. Madame Brodeur se sent de plus en plus fatiguée et désire se coucher un peu. Dans quelle position peut-elle rester allongée ? Justifiez votre réponse.

À revoir

Forces en jeu (*Forces primaires*), *Stades du travail* et *Position de la parturiente durant le travail*

▶ Quelques heures plus tard, l'examen vaginal de la cliente indique que le col est complètement dilaté et effacé à 100 %, et la hauteur de présentation est à +5. Elle ressent de fortes contractions toutes les 2 minutes d'une durée de 75 secondes, mais ne ressent pas l'envie de pousser. Vous remarquez que madame Brodeur respire très rapidement et qu'elle se sent étourdie. ▶

13. En ce moment, devriez-vous recommander à madame Brodeur de commencer à pousser ? Justifiez votre réponse.

14. À quel stade du travail madame Brodeur se trouve-t-elle présentement ? Expliquez votre réponse.

15. Quel est le phénomène physiologique associé à la respiration qui explique les étourdissements de madame Brodeur ?

À revoir

Forces en jeu (*Forces secondaires*), *Mécanisme du travail* et *Adaptation maternelle* (*Changements respiratoires*)

▶ La cliente commence à pousser, puisqu'elle en ressent maintenant l'envie. Sa pression artérielle (P.A.) se situe à 156/88 mm Hg, alors qu'elle se maintenait autour de 128/76 mm Hg au début de son travail. ◀

16. Considérant l'augmentation de la P.A. de madame Brodeur, que devriez-vous faire?

a) Aviser immédiatement le médecin.
b) Installer la cliente en décubitus latéral.
c) Dire à la cliente d'arrêter de pousser.
d) Poursuivre le suivi de la P.A. à la même fréquence.

Réponse et justification:

17. À ce stade-ci de la mise en contexte, devriez-vous considérer que la P.A. élevée de madame Brodeur nécessite un suivi particulier nécessitant de figurer dans le plan thérapeutique infirmier de la cliente? Justifiez votre réponse.

À revoir

Stades du travail et *Adaptation maternelle* (*Changements cardiovasculaires*)

Situation de santé **Jugement clinique**

SA15

Sentiment d'anxiété quant à la douleur pendant l'accouchement

Cliente : Carol-Ann Bisson

Solutionnaire 

Chapitre à consulter

 Gestion de la douleur

Carol-Ann Bisson est âgée de 39 ans. Elle est enceinte de 40 1/7 semaines de son 2e enfant, et elle vient d'être admise dans une chambre de naissance. Ses contractions sont toutes les 5 minutes, son col utérin est dilaté à 4 cm et effacé à 50 %. D'après madame Bisson, ses contractions sont d'intensité légère à modérée, et sa douleur se situe principalement au bas du dos et de l'abdomen. Ses signes vitaux sont normaux : P.A. : 125/82 mm Hg ; F.R. : 15 R/min; F.C. : 76 batt./min ; T° : 36,8 °C. La cliente, qui est accompagnée de son conjoint et d'une amie proche, dit qu'elle est très angoissée et qu'elle désire accoucher le plus naturellement possible. Elle ne désire recevoir aucune médication analgésique, car elle ne veut en aucun cas revivre l'expérience de son premier accouchement. Une importante hypotension maternelle accompagnée d'étourdissements et l'installation d'une sonde urinaire à ballonnet lui ont laissé un mauvais souvenir de la médication reçue par épidurale. De plus, au cours de ce même accouchement, elle avait supporté la douleur pendant une grande période avant de recevoir l'analgésie, sans toutefois pratiquer les méthodes non pharmacologiques autres que le bain de massage thérapeutique et l'utilisation du ballon ergonomique.

Entre ses contractions, madame Bisson mentionne que malgré ses craintes, cette fois-ci, elle s'est bien préparée à utiliser diverses techniques non pharmacologiques. Elle a d'ailleurs apporté son lecteur CD et des disques de musique douce qu'elle affectionne particulièrement. Aussi, elle dit être très bien soutenue par son conjoint et son amie, deux personnes qui lui sont chères. ▶

1. Nommez un facteur pouvant accroître la perception de la douleur chez madame Bisson.

a) L'accouchement d'un deuxième enfant.

b) L'âge de la grossesse (40 1/7 semaines).

c) L'âge de la cliente (39 ans).

d) L'anxiété à l'égard de l'accouchement.

Réponse et justification :

2. Comment une attitude rassurante de votre part pourrait-elle contribuer à réduire la douleur de madame Bisson ?

3. Quelle est la raison principale pour laquelle vous devriez accorder à madame Bisson la permission d'être accompagnée de sa bonne amie pendant son travail et son accouchement, en plus du conjoint?

a) Cela permettra au conjoint d'aller se reposer s'il est fatigué.

b) Cela vous donnera plus de temps pour les autres clientes.

c) Son amie offrira un soutien supplémentaire à madame Bisson.

d) Son amie connaît comment la cliente s'est préparée pour son accouchement.

Réponse et justification:

4. Madame Bisson a présenté de la rétention urinaire à son premier accouchement. Qu'est-ce qui a causé l'apparition de ce problème à ce moment?

a) La perte de sensation de la vessie causée par l'épidurale.

b) La baisse de sa P.A. causée par l'épidurale.

c) La hausse des catécholamines causée par l'anxiété liée à l'accouchement.

d) La pression sur la vessie causée par les contractions du deuxième stade du travail.

Réponse et justification:

5. Nommez une intervention infirmière visant à prévenir la rétention urinaire chez madame Bisson.

6. En quoi l'écoute de la musique pendant le travail et l'accouchement peut-elle diminuer la douleur chez madame Bisson?

a) Elle stimule la libération d'endorphines.

b) Elle favorise la relaxation en réduisant le stress.

c) Elle augmente le sentiment de maîtrise de soi.

d) Elle crée un état de concentration intense.

Réponse et justification:

7. À ce stade-ci du travail de madame Bisson, devez-vous inscrire un problème prioritaire dans l'extrait du PTI de la cliente? Justifiez votre réponse.

À revoir

Perception de la douleur, Expression de la douleur, Facteurs influant sur la réaction à la douleur (Anxiété, Expériences antérieures, Confort)

▶ Trois heures se sont écoulées. La douleur de madame Bisson s'est intensifiée. Elle s'étend maintenant aux crêtes iliaques, à la région fessière et aux cuisses. Jusqu'à maintenant, la cliente a eu recours à diverses techniques de soulagement de la douleur, dont l'utilisation de jets d'eau chaude pour diminuer sa douleur dorsale. Ses contractions, plus intenses, reviennent toutes les 2 minutes et durent environ 60 secondes chacune. Le col utérin est dilaté à 7 cm et effacé à 100 %. Ses signes vitaux sont les suivants: P.A.: 139/88 mm Hg; F.R.: 22 R/min; F.C.: 91 batt./min; T°: 36,8 °C.
Madame Bisson est bien soutenue par son conjoint et sa grande amie. Son conjoint participe au travail en appliquant plusieurs principes de la méthode Bonapace tels que l'application de pressions à des endroits précis dans le but de provoquer une seconde douleur. Quant à son amie, elle utilise l'imagerie mentale avec madame Bisson, une technique déjà pratiquée en période prénatale. ▶

Extrait de PTI

CONSTATS DE L'ÉVALUATION								
Date	Heure	N°	Problème ou besoin prioritaire	Initiales	RÉSOLU / SATISFAIT			Professionnels / services concernés
					Date	Heure	Initiales	

SUIVI CLINIQUE							
Date	Heure	N°	Problème ou besoin prioritaire	Initiales	RÉSOLU / SATISFAIT		
					Date	Heure	Initiales

Signature de l'infirmière	Initiales	Programme / service	Signature de l'infirmière	Initiales	Programme / service

8. Selon les principes de la méthode Bonapace, comment les pressions exercées par le conjoint peuvent-elles diminuer la douleur ressentie par madame Bisson ?

a) Les pressions distraient madame Bisson de la douleur des contractions.
b) Les pressions bloquent la transmission nerveuse dans cette partie du corps.
c) Les pressions provoquent un relâchement d'endorphines qui réduisent la douleur.
d) Les pressions relâchent la tension musculaire dans cette partie du corps.

Réponse et justification :

9. Expliquez en quoi consiste la technique utilisée par l'amie de madame Bisson.

10. À quel stade et à quelle phase du travail madame Bisson se situe-t-elle ?

a) La phase de latence du premier stade.
b) La phase active du premier stade.
c) La phase passive du deuxième stade.
d) La phase active du deuxième stade.

Réponse et justification :

11. Comment devriez-vous interpréter les valeurs des signes vitaux de madame Bisson ?

12. Expliquez le principe physiologique entourant le soulagement de la douleur chez madame Bisson par l'utilisation de jets d'eau chaude.

13. À partir des données de cet épisode de la situation de madame Bisson, écrivez une note d'évolution décrivant la douleur de la cliente et les interventions prodiguées par les personnes de soutien.

Extrait des notes d'évolution

À revoir

Techniques de relaxation et de respiration, Contrepression, Musique et *Toucher, effleurage et massage*

▶ Le travail se poursuit, et madame Bisson donne naissance à une petite fille de 3 140 g par accouchement vaginal. Aucune méthode pharmacologique n'a été utilisée. La cliente dit être très satisfaite de son travail et de l'accouchement et apprécie l'accompagnement de ses proches et du personnel infirmier. ◀

14. Nommez deux éléments qui ont vraisemblablement contribué à une expérience de travail et d'accouchement jugée satisfaisante pour madame Bisson.

Situation de santé **Jugement clinique**

SA16

Évaluation de la femme en cours de travail et pendant l'accouchement

Cliente : Odile Sarr

Solutionnaire

Chapitre à consulter

14 Évaluation et soins de la parturiente

Odile Sarr, jeune Somalienne âgée de 24 ans, est enceinte de 39 3/7 semaines de son premier enfant. À 8 h 15, elle arrive en marchant à l'unité mère-enfant accompagnée de son conjoint. Elle dit ressentir des contractions toutes les 5 minutes depuis le milieu de la nuit. Elle pense que ses membranes amniotiques se sont rompues à la suite d'un effort physique ; elle avait forcé pour déféquer, sentant le besoin d'aller à la selle. Vous l'invitez à revêtir une chemise d'hôpital et à s'installer confortablement au lit. Pendant ce temps, vous en profitez pour vérifier le dossier prénatal de madame Sarr. ▶

1. Quelles données devriez-vous vérifier dans le dossier prénatal de madame Sarr ? Trouvez-en au moins trois.

2. D'après les données actuelles de cette situation, que devriez-vous écrire dans les notes d'évolution au dossier au moment de l'admission de la cliente ?

3. Nommez les six éléments que vous devez inclure dans l'examen physique de la cliente que vous effectuez quelques minutes plus tard.

4. Vous effectuez les manœuvres de Léopold auprès de madame Sarr. Quelle position lui demandez-vous d'adopter ?

a) En décubitus dorsal, genoux légèrement pliés.
b) En décubitus latéral gauche, genoux fléchis.
c) En décubitus latéral, le dos arrondi.
d) En position gynécologique.

Réponse et justification :

5. Madame Sarr vous confie qu'elle n'apprécie guère les examens vaginaux, et elle vous demande à quel intervalle elle devra être examinée. Nommez les deux circonstances où vous aurez à effectuer un examen vaginal chez la parturiente.

À revoir

Soins infirmiers : Premier stade du travail (*Collecte des données – Évaluation initiale*)

▶ À la suite de l'évaluation initiale, le résultat du test de pH à la nitrazine est positif. Le monitorage de madame Sarr indique des contractions modérées, régulières toutes les 3 à 5 minutes, d'une durée de 50 secondes. Son col est dilaté à 4 cm. Ses signes vitaux sont les suivants : pression artérielle (P.A.) : 138/86 mm Hg ; saturation pulsée en oxygène (SpO_2) : 98 % ; fréquence cardiaque (F.C.) : 82 batt./min ; fréquence respiratoire (F.R.) : 20 R/min ; température (T°) : 36,9 °C. La cliente demeure assez stoïque malgré la douleur des contractions, et la fatigue qui commence à s'installer. Elle a de la difficulté à suivre les instructions que vous tentez de lui donner. ▶

6. Vous avez déterminé que le test du pH à la nitrazine était positif, car l'écouvillon utilisé présentait une couleur :

a) blanche.
b) vert olive.
c) rosée.
d) bleu-gris.

Réponse et justification :

7. Pourquoi est-il nécessaire, surtout après la rupture des membranes amniotiques, de nettoyer fréquemment le périnée de madame Sarr ?

8. Expliquez pourquoi il est très important de surveiller la température de madame Sarr au cours de son travail.

9. Vérifiez la bonne réponse à la question précédente. En lien avec cette réponse, quel autre élément devrez-vous évaluer régulièrement chez la cliente en plus de sa température ?

a) L'intensité des contractions.
b) La variabilité de la F.C.F.
c) L'écoulement vaginal.
d) La présence de céphalées.

Réponse et justification :

10. À la lumière des éléments d'information contenus dans la mise en situation, à quel stade et à quelle phase du travail se situe actuellement madame Sarr ?

a) À la phase de latence du premier stade.
b) À la phase active du premier stade.
c) À la phase de transition du premier stade.
d) À la phase passive du deuxième stade.

Réponse et justification :

11. Vous recommandez à madame Sarr d'aller uriner au moins toutes les deux heures. Quelles sont les justifications de cette recommandation ?

12. Comme madame Sarr s'hydrate peu, le médecin demande d'installer une solution intraveineuse d'électrolytes sans glucose. Quelle en est la raison ?

13. Nommez trois interventions qui vous permettront de tenir compte des facteurs culturels qui peuvent influencer le travail chez madame Sarr.

À revoir

Soins infirmiers : Premier stade du travail (Reconnaître les facteurs culturels pouvant influencer le travail, Évaluer les membranes ainsi que le liquide amniotique, Prodiguer les soins physiques)

▶ Jusqu'à maintenant, le travail de madame Sarr s'est très bien déroulé. Son col est effacé à 100 % et complètement dilaté. Elle amorce le deuxième stade de son travail. ▶

14. Expliquez en quoi consiste le deuxième stade du travail.

15. Outre l'effacement et la dilatation complète du col de l'utérus, nommez six autres signes que madame Sarr pourrait présenter et qui indiqueraient le début du deuxième stade du travail.

16. Madame Sarr ressent une envie de pousser. Expliquez ce qui active ce fort besoin.

17. Indiquez au moins six interventions à effectuer auprès de madame Sarr pendant la phase de descente du fœtus au cours du deuxième stade du travail.

18. Craignant que l'expulsion de la tête fœtale survienne trop rapidement, le médecin demande à madame Sarr d'arrêter de pousser. Quel risque est associé à l'expulsion trop rapide de la tête du fœtus?

a) Une décélération marquée de la F.C.F.
b) Une chute brusque de la F.C. et de la P.A. maternelles.
c) Un changement rapide de pression dans le crâne fœtal.
d) Des lacérations au cuir chevelu de l'enfant.

Réponse et justification:

19. Madame Sarr a tendance à trop retenir sa respiration pendant les poussées. Quels sont les effets indésirables que cela peut causer sur la circulation? Justifiez votre réponse.

20. Vous encouragez madame Sarr à pousser durant l'expiration (pousser à glotte ouverte) et à inspirer entre les efforts de poussée. Quel est l'avantage de cette façon de faire?

a) Accélérer la descente du fœtus dans la filière pelvigénitale.
b) Augmenter la force de la poussée pour faciliter la rotation de la tête fœtale.
c) Éviter l'hyperventilation et les étourdissements chez la mère.
d) Maintenir des concentrations adéquates d'oxygène pour la mère et le fœtus.

Réponse et justification:

21. Madame Sarr pousse très bien. Le recours systématique à l'épisiotomie n'étant plus recommandé, quelle manœuvre peut utiliser le médecin durant la descente de la tête fœtale? Expliquez les avantages de cette manœuvre.

22. Quelle position pourriez-vous suggérer à madame Sarr pendant l'accouchement pour diminuer le besoin d'avoir recours à l'épisiotomie?

a) La position latérale.
b) La position accroupie.
c) La position semi-assise.
d) La position à quatre pattes.

Réponse et justification:

À revoir

Soins infirmiers: Deuxième stade du travail (*Collecte des données – Évaluation initiale, Analyse et interprétation des données, Encourager le positionnement choisi par la parturiente, Accompagner les efforts de poussée de la parturiente*) et *Lésions périnéales dues à l'accouchement*

▶ Après quelques poussées supplémentaires, madame Sarr a donné naissance à une belle petite fille. Vous faites une première évaluation de la nouveau-née, et tout est dans les normes. L'expulsion du placenta est attendue. Les contractions du fundus utérin sont fermes, et le cordon ombilical est allongé à l'orifice vaginal. ◀

23. Nommez trois autres signes à observer chez la cliente qui indiqueraient que la séparation placentaire est imminente.

24. Comment madame Sarr peut-elle aider à favoriser l'expulsion du placenta?

25. Pendant l'heure qui suit la naissance, madame Sarr est évaluée fréquemment. Nommez tous les éléments qui font partie de l'évaluation physique de la mère pendant le quatrième stade du travail.

26. Vous procédez à l'évaluation de la distension de la vessie de la cliente pendant le quatrième stade du travail. Quel est le risque principal pour madame Sarr en cas de distension de la vessie?

a) Une infection urinaire.

b) Des spasmes douloureux de la vessie.

c) Une atonie utérine avec hémorragie.

d) De l'incontinence urinaire en postpartum.

Réponse et justification:

27. Indiquez le besoin prioritaire dans l'extrait du plan thérapeutique infirmier (PTI) de madame Sarr et inscrivez la directive infirmière appropriée à ce besoin.

Extrait de PTI

CONSTATS DE L'ÉVALUATION								
Date	Heure	N°	Problème ou besoin prioritaire	Initiales	RÉSOLU / SATISFAIT			Professionnels / services concernés
					Date	Heure	Initiales	
2018-04-21	*19:40*	*2*						

SUIVI CLINIQUE							
Date	Heure	N°	Directive infirmière	Initiales	CESSÉE / RÉALISÉE		
					Date	Heure	Initiales
2018-04-21	*19:40*	*2*					

Signature de l'infirmière	Initiales	Programme / Service	Signature de l'infirmière	Initiales	Programme / Service
		Unité mère-enfant			

Vos initiales

Votre signature

Vos initiales

Vos initiales

À revoir

Soins infirmiers : Troisième stade du travail (*Déceler la séparation puis l'expulsion du placenta*) et *Soins infirmiers : Quatrième stade du travail* (*Collecte des données – Évaluation initiale*)

Situation de santé **Jugement clinique**

SA17

Présence de décélérations variables

Cliente : Jasmine Dubost

Chapitre à consulter

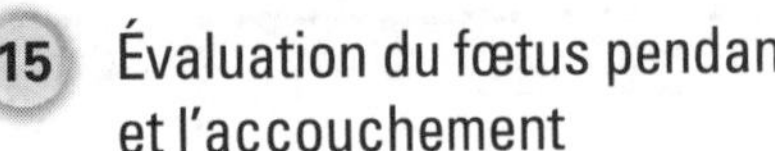

15 Évaluation du fœtus pendant le travail et l'accouchement

Jasmine Dubost, âgée de 29 ans, est enceinte de son premier enfant. Elle en est à 40 1/7 semaines de grossesse. Elle a été admise à l'unité mère-enfant pour début de travail. Voici les données recueillies au moment de votre première évaluation : pression artérielle (P.A.) : 132/84 mm Hg ; fréquence cardiaque (F.C.) : 78 batt./min ; fréquence respiratoire (F.R.) : 24 R/min ; température (T°) : 36,9 °C. Le col utérin est dilaté à 1 cm, et les membranes amniotiques sont rompues. La cliente a des contractions irrégulières de faible intensité toutes les 3 à 5 minutes. La fréquence cardiaque fœtale (F.C.F.) de base est de 110 batt./min, de variabilité modérée, avec présence de quelques accélérations et absence de décélération. ▶

1. Selon votre évaluation, avez-vous des raisons de croire que l'apport en oxygène au fœtus est adéquat ? Justifiez votre réponse.

2. Pour quelle raison devez-vous assurer la surveillance fœtale pendant le travail de madame Dubost ?

3. Nommez une modification pouvant survenir durant le travail de madame Dubost, qui pourrait diminuer l'apport en oxygène au fœtus.

a) La présence de contractions utérines de faible intensité.

b) L'augmentation de la F.R. de la cliente au cours du deuxième stade du travail.

c) La fatigue importante chez la cliente si le travail est trop long.

d) Une hypovolémie chez la cliente, secondaire à une hémorragie.

Réponse et justification :

À revoir

Réaction fœtale

4. Indiquez deux méthodes qui vous permettront d'effectuer une surveillance étroite du fœtus de la cliente.

5. Au moment de l'A.I., pour quelle raison devez-vous compter le pouls de la cliente tout en écoutant la F.C.F. ?

6. Au moment de l'A.I., par quel moyen pourriez-vous confirmer la présence ou l'absence d'activité utérine chez madame Dubost ?

▶ Le travail de madame Dubost ne progressant pas, le médecin a demandé d'amorcer une perfusion d'ocytocine selon le protocole de l'établissement. L'évaluation du fœtus se poursuivra par MEF continu. ▶

7. Madame Dubost veut savoir en quoi consiste le MEF continu. Que devriez-vous lui dire à ce sujet ?

8. Madame Dubost insiste pour que vous lui expliquiez l'utilité du MEF continu. Que devriez-vous lui répondre ?

9. À quel intervalle devrez-vous effectuer l'évaluation du tracé de la F.C.F. ?

a) Toutes les 5 minutes.
b) Toutes les 10 minutes.
c) Toutes les 15 minutes.
d) Toutes les 20 minutes.

Réponse et justification :

À revoir

Monitorage électronique continu du fœtus, Soins infirmiers : Monitorage électronique du fœtus (Enseignement à la cliente et à ses proches)

▶ Six heures se sont écoulées depuis le début de la perfusion d'ocytocine. Le col utérin est dilaté à 8 cm. Voici ce que le tracé du MEF continu indique : contractions toutes les 2 minutes, de 90 secondes, de forte intensité. La F.C.F. de base se situe à 116 batt./min. Vous remarquez également la présence de décélérations en forme de « U » de manière répétitive à 96 batt./min. ▶

10. À quel type de décélérations cette forme de tracé peut-elle être associée ?

a) À des décélérations précoces.
b) À des décélérations tardives.
c) À des décélérations variables.
d) À des décélérations prolongées. ▶

Réponse et justification:

11. Quelles sont les caractéristiques de ces décélérations?

12. Comment interprétez-vous ces décélérations?

13. Qu'est-ce qui pourrait expliquer la présence de ce type de décélérations?

a) Un effet indésirable de l'ocytocine.

b) Un cordon ombilical trop court.

c) Une compression de la tête fœtale.

d) Une infection intra-amniotique.

Réponse et justification:

14. Indiquez trois interventions de base que vous devez effectuer en priorité pour cette cliente et expliquez la raison justifiant chacune d'elles.

15. L'infirmière a inscrit « *Décélérations variables de la F.C.F.* » comme problème prioritaire dans le plan thérapeutique infirmier (PTI) de madame Dubost, car elle a jugé crucial d'en assurer un suivi clinique particulier. Relativement à ce problème, quelle directive infirmière visant à augmenter l'oxygénation du fœtus de madame Dubost pourriez-vous inscrire dans l'extrait du PTI de la cliente?

a) *Administrer O_2 8 à 10 L/min par masque facial.*

b) *Régler le débit de la perfusion principale selon le protocole.*

c) *Procéder à un examen vaginal toutes les 30 minutes.*

d) *Évaluer les contractions utérines toutes les 5 minutes.*

Réponse et justification:

À revoir

Décélérations et *Soins infirmiers : Monitorage électronique du fœtus*

Extrait de PTI

CONSTATS DE L'ÉVALUATION								
Date	Heure	N°	Problème ou besoin prioritaire	Initiales	RÉSOLU / SATISFAIT			Professionnels / Services concernés
					Date	Heure	Initiales	
2018-05-14	*16:45*	*2*	*Décélérations variables de la F.C.F.*	*A.R.*				

SUIVI CLINIQUE							
Date	Heure	N°	Directive infirmière	Initiales	CESSÉE / RÉALISÉE		
					Date	Heure	Initiales
2018-05-14	*16:45*	*2*					

Signature de l'infirmière	Initiales	Programme / Service	Signature de l'infirmière	Initiales	Programme / Service
Angèle Rancourt	*A.R.*	*Unité mère-enfant*			
		Unité mère-enfant			

Votre signature

Vos initiales

Vos initiales

▶ Les interventions effectuées plus tôt ont permis à madame Dubost d'accoucher normalement par voie vaginale. Les résultats des gaz sanguins artériels et veineux du sang ombilical se lisent ainsi :

Artère : pH : 7,28 ; $PaCO_2$: 52,2 mm Hg ; PaO_2 : 21,4 mm Hg ; déficit de base : –3,2 mmol/L.

Veine : pH : 7,32 ; $PaCO_2$: 44,3 mm Hg ; PaO_2 : 19,9 mm Hg ; déficit de base : –3,8 mmol/L. ◀

16. Pourquoi est-il justifié de vérifier les valeurs du sang ombilical immédiatement après la naissance de l'enfant de madame Dubost ?

17. Quelle interprétation de l'acidémie du nouveau-né de la cliente devriez-vous faire à partir des résultats présentés ?

a) Il y a présence d'acidémie respiratoire.

b) Il y a présence d'acidémie métabolique.

c) Il y a présence d'acidémie mixte.

d) Il n'y a pas d'acidémie.

Réponse et justification :

À revoir

Soins infirmiers : Monitorage électronique du fœtus (Détermination de l'équilibre acidobasique du cordon ombilical)

Situation de santé Jugement **clinique**

SA18 Travail prématuré

Cliente : Catherine Valquez

Solutionnaire

Chapitre à consulter

16 Complications possibles liées au travail et à l'accouchement

Catherine Valquez, âgée de 27 ans, est enceinte de 32 2/7 semaines. Elle ressent des contractions toutes les 3 à 5 minutes depuis 2 heures. Elle dit avoir perdu un peu de liquide épais. Le médecin demande d'effectuer le test de la fibronectine fœtale. Au cours de l'évaluation initiale, vous constatez que le col utérin est dilaté à 2 cm et effacé à 80 %. La fréquence cardiaque fœtale (F.C.F.) affiche une variabilité de 126 à 148 batt./min. Jusqu'à maintenant, la grossesse de la cliente s'est déroulée sans particularité. Un accouchement prématuré spontané est fortement envisagé. ▶

1. Nommez au moins six facteurs qui pourraient rendre madame Valquez à risque d'un accouchement prématuré spontané.

2. Pourquoi faut-il envisager que la cliente aura un accouchement prématuré spontané plutôt qu'un accouchement prématuré sur indication médicale ?

3. La naissance prématurée du bébé de madame Valquez représente-t-elle un plus grand risque que sa naissance à terme, mais avec un faible poids? Justifiez votre réponse.

4. À partir de quel moment l'accouchement deviendrait-il inévitable chez madame Valquez?

a) Une dilatation du col de 1 cm.

b) Une dilatation du col de 2 cm.

c) Une dilatation du col de 3 cm.

d) Une dilatation du col de 4 cm.

Réponse et justification:

5. Pourquoi le médecin demande-t-il un test de fibronectine fœtale pour madame Valquez?

a) Ce test permet d'évaluer la maturité pulmonaire fœtale.

b) Ce test est un prédicateur de l'accouchement prématuré.

c) Ce test est un indicateur du degré de souffrance fœtale.

d) Ce test permet de confirmer la rupture des membranes.

Réponse et justification:

À revoir

Accouchement prématuré et faible poids à la naissance, Prévision du travail et de l'accouchement prématurés spontanés (*Marqueurs biochimiques*) et *Préparation à un accouchement prématuré inévitable*

▶ Le test de fibronectine fœtale de madame Valquez est positif. ▶

6. Comment devriez-vous interpréter le résultat positif du test de fibronectine?

À revoir

Marqueurs biochimiques

▶ Le médecin a prescrit le repos complet pour madame Valquez jusqu'à l'arrêt des contractions. Il demande d'amorcer le protocole de nifédipine et d'administrer 2 doses de 12 mg de bétaméthasone intramusculaire à un intervalle de 24 heures. ▶

7. Quel est le but du protocole de nifédipine?

a) Repousser l'accouchement pour avoir le temps de procéder à la corticothérapie anténatale.

b) Améliorer la réaction de la F.C.F. au stress des contractions de l'utérus durant le travail.

c) Prévenir l'hypotension maternelle durant le travail, laquelle serait risquée pour le fœtus.

d) Accélérer les contractions, pour que le nouveau-né prématuré reçoive rapidement des soins.

Réponse et justification:

8. Y a-t-il des contre-indications fœtales à un traitement de tocolyse pour madame Valquez? Justifiez votre réponse.

9. Quelle condition chez madame Valquez serait une contre-indication au traitement tocolytique?

a) Un diabète gestationnel.

b) Une prééclampsie.

c) Un IMC élevé avant la grossesse.

d) Une infection urinaire.

Réponse et justification:

10. Quels seront les cinq principaux soins à apporter à madame Valquez à la suite de l'administration du tocolytique?

11. Nommez deux effets indésirables à surveiller chez madame Valquez à la suite de l'administration de nifédipine.

a) L'hyperglycémie et l'œdème pulmonaire.

b) La faiblesse musculaire et l'hypocalcémie.

c) Les bouffées congestives et les étourdissements.

d) Les brûlures d'estomac et la thrombopénie.

Réponse et justification:

12. Quelle est la raison principale d'administrer la bétaméthasone à madame Valquez?

13. Citez deux autres risques chez le nouveau-né prématuré que l'on cherche à éviter en administrant une corticothérapie à madame Valquez.

14. Indiquez le problème prioritaire de soins infirmiers dans l'extrait du plan thérapeutique infirmier (PTI) de madame Valquez et inscrivez la directive infirmière appropriée à cette situation.

Extrait de PTI

Vos initiales

CONSTATS DE L'ÉVALUATION								
Date	Heure	N°	Problème ou besoin prioritaire	Initiales	RÉSOLU / SATISFAIT			Professionnels / Services concernés
					Date	Heure	Initiales	
2018-04-21	*09:00*							

SUIVI CLINIQUE							
Date	Heure	N°	Directive infirmière	Initiales	CESSÉE / RÉALISÉE		
					Date	Heure	Initiales
2018-04-21	*09:00*						

Signature de l'infirmière	Initiales	Programme / Service	Signature de l'infirmière	Initiales	Programme / Service
		Unité mère-enfant			

Votre signature — Vos initiales — Vos initiales

15. Vérifiez la bonne réponse à la question précédente. À partir des données pertinentes connues, écrivez une note d'évolution appuyant le problème prioritaire inscrit dans l'extrait du PTI de madame Valquez.

Extrait des notes d'évolution

À revoir

Suppression de l'activité utérine et *Activation de la maturité pulmonaire du fœtus*

▶ Depuis deux jours, madame Valquez ne présente plus de contractions, et le médecin a autorisé son congé. Vous planifiez un enseignement de départ. ▶

16. Quel élément aurez-vous à inclure dans le plan d'enseignement afin d'augmenter chez la cliente sa capacité à autoévaluer les signes du travail récurrent?

17. Nommez au moins quatre symptômes que madame Valquez devra signaler le plus rapidement possible à un professionnel de la santé.

18. Dans quel but devrez-vous inclure des techniques de relaxation dans l'enseignement destiné à la cliente?

19. En plus de la relaxation, quelle proposition permettrait à madame Valquez d'atténuer son stress?

À revoir

Soins infirmiers : Travail et accouchement prématurés (*Détection précoce et prise en charge*) et le PSTI 16.1 *Travail prématuré*

▶ Pour diminuer le risque de déclenchement du travail, le médecin a prescrit l'alitement modifié. ▶

20. Durant l'alitement modifié, la cliente est autorisée à:

a) marcher 10 minutes par heure.

b) prendre l'escalier une fois par jour.

c) se lever pour aller à la salle de bains.

d) faire des tâches ménagères en position assise.

Réponse et justification:

21. Mis à part l'alitement modifié, quelle information s'adressant particulièrement au couple devrez-vous inclure dans le plan d'enseignement afin de diminuer le risque de déclenchement du travail?

22. Quelle position madame Valquez peut-elle adopter pour améliorer la circulation sanguine placentaire?

a) En décubitus latéral gauche.

b) En position demi-assise.

c) En décubitus dorsal.

d) En position assise à 90°.

Réponse et justification:

23. Vous expliquez à madame Valquez ce qu'elle doit faire si elle présente des signes de travail prématuré une fois de retour à la maison. Nommez une des actions qu'elle doit poser dans ce cas.

a) Elle doit aller immédiatement à l'urgence du centre hospitalier.

b) Elle doit vérifier sa pression artérielle et son pouls.

c) Elle doit prendre un bain chaud pour se détendre.

d) Elle doit boire deux ou trois verres d'eau ou de jus.

Réponse et justification:

À revoir

Soins infirmiers: Travail et accouchement prématurés (Détection précoce et prise en charge, Modifications du mode de vie)

▶ Cinq jours après son admission, madame Valquez a quitté l'unité de soins avec son conjoint à 15 h 15. ◀

24. Complétez l'extrait du PTI au départ de la cliente.

Extrait de PTI

CONSTATS DE L'ÉVALUATION								
Date	Heure	N°	Problème ou besoin prioritaire	Initiales	RÉSOLU / SATISFAIT			Professionnels / Services concernés
					Date	Heure	Initiales	
2018-04-21	*09:00*			(Vos initiales)			(Vos initiales)	

SUIVI CLINIQUE							
Date	Heure	N	Directive infirmière	Initiales	CESSÉE / RÉALISÉE		
					Date	Heure	Initiales
2018-04-21				(Vos initiales)			(Vos initiales)

Signature de l'infirmière	Initiales	Programme / Service	Signature de l'infirmière	Initiales	Programme / Service
(Votre signature)	(Vos initiales)	*Unité mère-enfant*			

25. À partir de la situation de madame Valquez, placez les boîtes aux bons endroits pour reconstituer une minicarte conceptuelle.

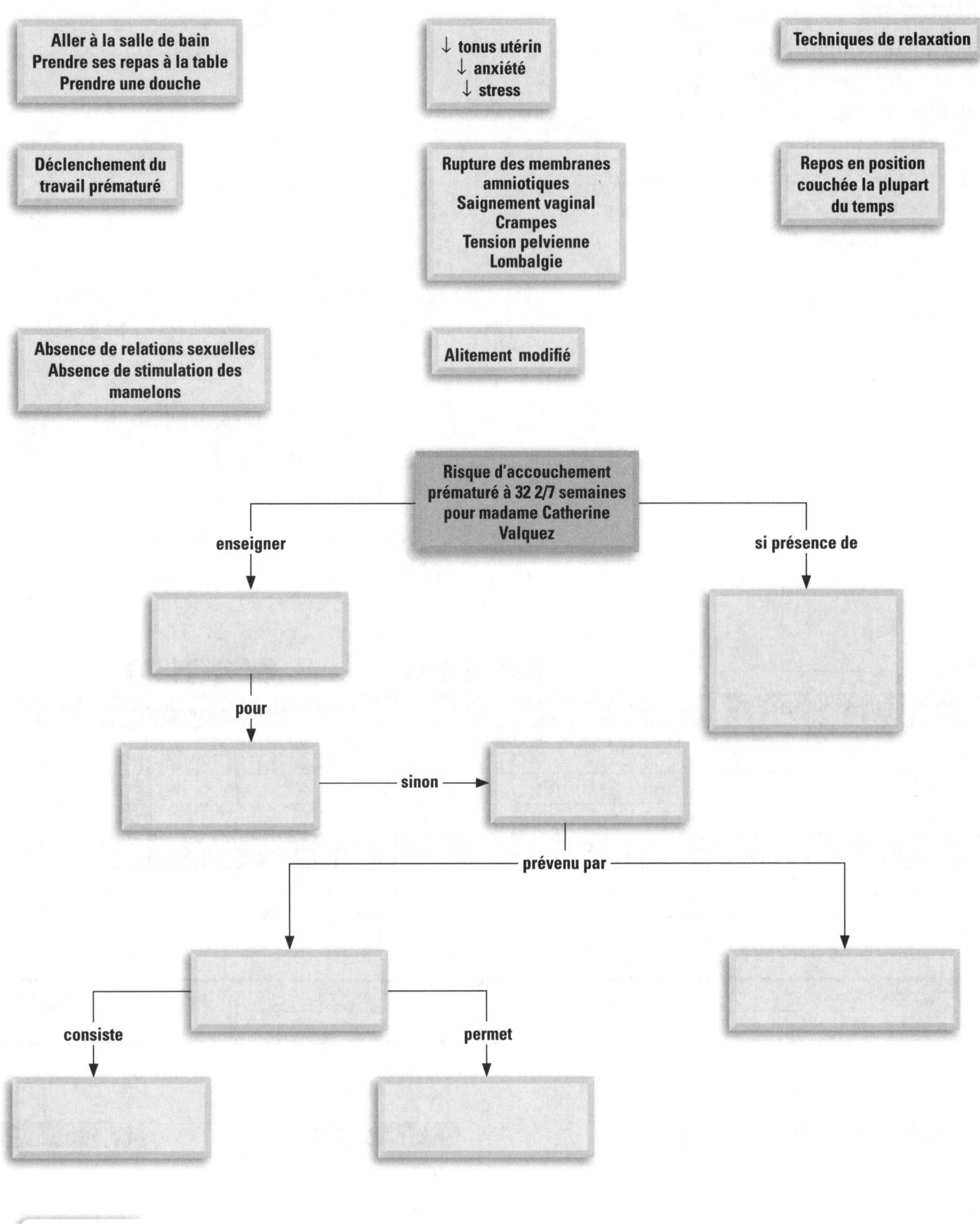

À revoir

Soins infirmiers : Travail et accouchement prématurés (Détection précoce et prise en charge, Restriction de l'activité sexuelle, Soins à domicile)

Situation de santé **Jugement clinique**

SA19 Accouchement vaginal

Cliente : Andrée Legendre

Solutionnaire 

Chapitre à consulter

17 Changements physiologiques de la nouvelle accouchée

Andrée Legendre, âgée de 32 ans, a accouché tôt ce matin de son 3e enfant, une fille de 3 960 g. L'accouchement s'est déroulé normalement par voie vaginale. La mère et l'enfant se trouvent maintenant dans leur chambre à l'unité mère-enfant. Il est 16 h, et vous commencez votre quart de travail. ▶

1. Vous devez évaluer l'involution utérine de la cliente. Que faut-il vérifier au cours de cette évaluation ? Justifiez votre réponse.

2. Vous évaluez la position de l'utérus chez madame Legendre. À quelle position devrait-il se trouver normalement ?

a) Au niveau de l'ombilic.

b) À 1 cm au-dessous de l'ombilic.

c) À 1 cm au-dessus de l'ombilic.

d) À 2 cm au-dessous de l'ombilic.

Réponse et justification :

3. Au moment où vous déterminez la position de l'utérus de la cliente, vous devez évaluer deux autres éléments. Lesquels ? Justifiez votre réponse.

4. Vous constatez que l'utérus de madame Legendre est dévié à gauche et qu'il se situe au-dessus de l'ombilic. Quelle est l'intervention à effectuer dans ce cas ? Justifiez votre réponse.

5. Madame Legendre a reçu une médication ocytocique à la salle d'accouchement. Quelle en est la conséquence sur le flux des lochies?

a) Le flux des lochies sera plus abondant.
b) Le flux des lochies contiendra plus de caillots.
c) Le flux des lochies sera moins abondant.
d) Le flux des lochies ne sera pas touché.

Réponse et justification:

À revoir

Utérus (*Processus d'involution, Lochies*) et *Urètre et vessie*

▶ Le médecin a procédé à une épisiotomie médiane au moment de l'accouchement de madame Legendre. ▶

6. Vous devez évaluer le site de l'incision. Quelle position madame Legendre doit-elle adopter pour cette évaluation?

7. Madame Legendre s'installe pour le repas. Elle vous signale avoir tellement faim qu'elle a demandé à son conjoint de lui apporter une pizza du restaurant. Devant cette situation, que devriez-vous faire? Justifiez votre réponse.

8. Le médecin a prescrit à madame Legendre du docusate sodique, une capsule, b.i.d. Quel est le but de ce médicament?

a) Soulager la douleur secondaire à l'épisiotomie.
b) Prévenir l'apparition possible de constipation.
c) Soulager les malaises de l'engorgement mammaire.
d) Prévenir la possibilité de thromboembolie.

Réponse et justification:

À revoir

Système digestif

▶ Vous consultez le dossier de madame Legendre et constatez que la numération des leucocytes se situe à 23 800/mm^3. Le dossier indique également qu'elle est de groupe sanguin B positif. ▶

9. Comment devez-vous interpréter la numération des leucocytes?

10. Dès que son état le permet, madame Legendre doit se déplacer le plus rapidement possible après son accouchement. Pourquoi est-il important de le faire précocement?

a) Pour prévenir le risque de thromboembolie.
b) Pour favoriser l'expulsion des caillots.
c) Pour permettre une involution utérine rapide.
d) Pour augmenter le tonus des muscles pelviens.

Réponse et justification:

À revoir

Système cardiovasculaire

▶ Durant sa grossesse, madame Legendre a ressenti des picotements et un engourdissement périodique des doigts des deux mains. Elle se questionne à ce sujet, car elle n'avait pas présenté cela durant ses deux premières grossesses. Elle vous mentionne que ces symptômes ont cependant beaucoup diminué depuis son accouchement. ▶

11. Qu'est-ce qui peut expliquer ce phénomène?

Extrait de PTI

CONSTATS DE L'ÉVALUATION								
Date	Heure	N°	Problème ou besoin prioritaire	Initiales	RÉSOLU / SATISFAIT			Professionnels / Services concernés
					Date	Heure	Initiales	
2018-04-20	*06:10*	*1*	*Accouchement vaginal normal*	*C.F.*				

SUIVI CLINIQUE							
Date	Heure	N°	Appliquer le suivi postpartum standard pour accouchement	Initiales	RÉSOLU / SATISFAIT		
					Date	Heure	Initiales
2018-04-20	*06:10*	*1*	*Appliquer le suivi postpartum standard pour accouchement vaginal.*	*C.F.*			

Signature de l'infirmière	Initiales	Programme / Service	Signature de l'infirmière	Initiales	Programme / Service
Claudie Francœur	*C.F.*	*Unité mère-enfant*			

12. Vérifiez la bonne réponse à la question précédente. Devriez-vous inscrire ce problème dans la section « Constats de l'évaluation » dans l'extrait du PTI de la cliente? Justifiez votre réponse.

13. Écrivez une note d'évolution en vous basant sur les données de ce dernier épisode de la mise en contexte.

Extrait des notes d'évolution
2018-04-20 ***21:15***

À revoir

Système nerveux

Le séjour au centre hospitalier de madame Legendre se déroule sans particularité.

14. Avant que la cliente quitte le centre hospitalier, vous devrez vérifier si elle doit recevoir :

a) le WinRho[MD] dans le but de prévenir l'iso-immunisation Rh.

b) une dose d'antibiotique pour prévenir l'endométrite.

c) de l'héparine S.C. pour prévenir la thrombo-embolie.

d) une vaccination appropriée pour prévenir la rubéole.

Réponse et justification :

À revoir

Système immunitaire

Situation de santé **Jugement clinique**

SA20

Évaluation en prévision du congé

Cliente : Carolane Demers

Solutionnaire

Chapitre à consulter

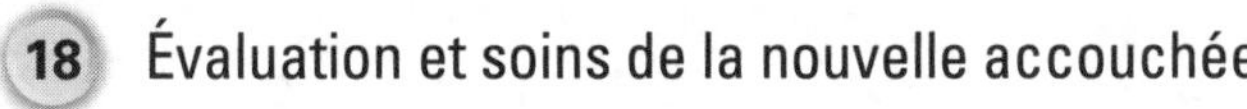

18 Évaluation et soins de la nouvelle accouchée

Carolane Demers, âgée de 25 ans, a donné naissance à son 2e enfant ce matin vers 7 h, par césarienne. Elle ne souhaite pas allaiter sa nouveau-née. Le conjoint est présent, et les parents s'impliquent dans les soins de la petite Gaëlle. Ils manifestent aussi des signes d'attachement envers leur fille : ils la bercent, lui parlent, la regardent. La cliente pourra vraisemblablement retourner à la maison avec sa nouveau-née dans 3 jours. ▶

1. Madame Demers en est au quatrième trimestre. Qu'est-ce que cela signifie ?

2. Donnez quatre avantages associés au congé postnatal précoce de madame Demers.

3. Donnez deux inconvénients liés au congé postnatal précoce de madame Demers.

4. Comme madame Demers ne donne pas le sein, mais le biberon, quel sera le problème prioritaire à inscrire dans l'extrait ci-après du plan thérapeutique infirmier (PTI) de la cliente ? ▶

Extrait de PTI

Vos initiales

CONSTATS DE L'ÉVALUATION								
Date	Heure	N°	Problème ou besoin prioritaire	Initiales	RÉSOLU / SATISFAIT			Professionnels / Services concernés
					Date	Heure	Initiales	

Signature de l'infirmière	Initiales	Programme / Service	Signature de l'infirmière	Initiales	Programme / Service

Votre signature — Vos initiales

5. Vous préparez le plan d'enseignement de madame Demers afin de lui indiquer des moyens pour prévenir la montée laiteuse. Citez deux consignes visant ce but.

6. À quel moment madame Demers devra-t-elle appliquer ces consignes ?
   a) Pendant les 24 premières heures suivant l'accouchement.
   b) Pendant les 72 premières heures suivant l'accouchement.
   c) À partir de 48 heures suivant l'accouchement.
   d) À partir de 96 heures suivant l'accouchement.

   Réponse et justification :

À revoir

Planification des soins et réponse aux besoins physiologiques de la mère, *Planification du congé* et *Allaitement ou suppression de la lactation*

▶ La gynécologue vous demande d'enlever le pansement au site de l'incision puisqu'un délai de 48 heures s'est écoulé depuis la césarienne. ▶

7. Vous rassemblez tout le matériel nécessaire à la réfection du pansement et vous vous dirigez vers la chambre de la cliente. À quel moment devrez-vous procéder à l'hygiène des mains afin de respecter les mesures de prévention des infections ?
   a) Avant de quitter la chambre de la cliente.
   b) Après avoir retiré les gants stériles.
   c) Après avoir désinfecté la table de chevet.
   d) Avant d'entrer dans la chambre de la cliente. ▶

Réponse et justification :

8. Vous retirez le pansement abdominal. Nommez au moins trois signes indiquant une guérison normale de la plaie.

9. Écrivez une note d'évolution en vous basant sur la bonne réponse à la question 8.

Extrait des notes d'évolution
2018-05-23 10:00

10. Citez trois interventions infirmières visant à prévenir l'infection au site de l'incision maintenant que le pansement est enlevé.

À revoir

Planification des soins et réponse aux besoins physiologiques de la mère et *Prévention des infections*

▶ Madame Demers se prépare à quitter le centre hospitalier. Elle a obtenu son congé le troisième jour suivant la césarienne. Elle ressent une lourdeur et de la douleur aux seins. ▶

11. Comment pouvez-vous déterminer que madame Demers est apte à retourner à la maison avec sa nouveau-née ?

12. Le fait que madame Demers soit incommodée par un engorgement mammaire peut-il retarder son départ du centre hospitalier?

a) Oui, car il faut d'abord soulager la douleur causée par l'engorgement.
b) Oui, car la cliente peut accorder moins d'attention à sa nouveau-née.
c) Non, si madame Demers sait comment soulager la tension mammaire.
d) Non, puisque c'est une condition qui se traite facilement.

Réponse et justification:

13. Citez trois recommandations que madame Demers pourrait suivre pour diminuer l'engorgement mammaire qu'elle présente.

14. Madame Demers se questionne à propos de la durée de l'engorgement mammaire. Que devriez-vous lui répondre à ce sujet?

a) L'engorgement ne dure que 10 heures environ.
b) Cela ne perdure que pendant 24 heures.
c) Les malaises durent environ 48 heures.
d) Cela peut persister pendant une semaine.

Réponse et justification:

À revoir

L'encadré 18.6 *Critères pour un congé précoce* et *Suppression de la lactation*

▶ Avant que madame Demers ne quitte le centre hospitalier, vous lui parlez des visites d'une infirmière à domicile pour assurer un suivi postnatal. ▶

15. Pour assurer le suivi à domicile, à quel moment l'infirmière du CLSC devrait-elle venir visiter madame Demers à la maison?

a) La journée même du congé.
b) Le lendemain de son congé.
c) Deux jours après son congé.
d) Trois jours après son congé.

Réponse et justification:

16. Quelle intervention devez-vous faire pour vous assurer que cette visite aura lieu au bon moment?

17. Madame Demers vous demande quel est le but de la visite à domicile. Que devriez-vous lui répondre?

À revoir

Suivi postnatal à domicile

▶ Madame Demers est maintenant à la maison avec son conjoint et la petite Gaëlle. Elle reçoit la visite de l'infirmière du CLSC qui assure le suivi à domicile. ◀

18. L'infirmière du CLSC demande à la cliente de s'installer dans un endroit intime pour procéder à l'examen physique. Dans quel but formule-t-elle cette demande?

Situation de santé **Jugement clinique**

SA21

Atonie utérine et séquelles possibles de la multiparité

Cliente : Audrey Valois

Solutionnaire 

Chapitre à consulter

19 Complications postpartum

Audrey Valois, âgée de 41 ans, se présente à l'unité mère-enfant, accompagnée de son conjoint de longue date. Sa grossesse en est à 41 2/7 semaines. Elle ressent des contractions toutes les 3 à 5 minutes environ, qu'elle évalue à une intensité de 7 sur 10. Elle mentionne avoir perdu une abondante quantité de liquide amniotique clair il y a une heure. Vous notez les antécédents obstétricaux suivants : G8, P2, A5. À son dernier accouchement, madame Valois a souffert d'une hémorragie postpartum (HPP). Elle présente un polyhydramnios à la grossesse actuelle. ▶

1. Nommez les trois facteurs qui rendent madame Valois à risque de présenter à nouveau une HPP.

À revoir

Hémorragie postpartum (*Définition, Étiologie*)

▶ Puisqu'elle est en travail actif, madame Valois a été installée dans une chambre de naissance. Après 90 minutes, elle donne naissance à une fille de 3400 g. À la palpation, vous constatez que l'utérus est mou et qu'il ne se contracte pas malgré un massage du fundus utérin (fond de l'utérus). Le médecin vous demande d'installer une perfusion d'ocytocine 20 unités dans une solution de NaCl 0,9 %, 1000 mL à débuter à 20 milliunités/min. ▶

2. Les facteurs de risque de l'HPP sont regroupés sous l'appellation « 4 T ». À quelle catégorie les manifestations cliniques de madame Valois appartiennent-elles ?

a) Tonus.

b) Tissus.

c) Trauma.

d) Thrombine.

Réponse et justification :

3. Quel est le but de la perfusion d'ocytocine ?

À revoir

Hémorragie postpartum (Approche thérapeutique – Atonie utérine)

▶ Vous vérifiez les signes vitaux de madame Valois toutes les 15 minutes. Les derniers résultats indiquent les valeurs suivantes : P.A. : 106/62 mm Hg ; F.C. : 90 batt./min, régulière et de forte amplitude ; F.R. : 22 R/min, régulière ; SpO_2 : 96 %. ▶

4. Comment devriez-vous interpréter ces résultats en lien avec l'évaluation du débit cardiaque ?

5. Parmi les caractéristiques suivantes, lesquelles indiqueraient un choc hémorragique chez madame Valois ?

a) Un temps de remplissage capillaire de 2 secondes et de la pâleur aux doigts.

b) Une F.C. supérieure à 100 batt./min et une P.A. diastolique inférieure à 100 mm Hg.

c) Une respiration rapide et profonde accompagnée de tirage intercostal.

d) Une altération de l'état mental et une diminution de l'état de conscience.

Réponse et justification :

MAIS SI...

Si vous aviez à surveiller étroitement la diurèse de madame Valois, quels seraient les deux signes qui indiqueraient que le remplacement liquidien est adéquat ?

À revoir

Soins infirmiers : Hémorragie postpartum

6. Complétez l'extrait du plan thérapeutique infirmier (PTI) de madame Valois en y indiquant le problème prioritaire et en rédigeant deux directives infirmières à ce propos. ▶

Extrait de PTI

Vos initiales

CONSTATS DE L'ÉVALUATION								
Date	Heure	N°	Problème ou besoin prioritaire	Initiales	RÉSOLU / SATISFAIT Date	Heure	Initiales	Professionnels / Services concernés
2018-04-15	*13:00*							

SUIVI CLINIQUE							
Date	Heure	N°	Directive infirmière	Initiales	CESSÉE / RÉALISÉE Date	Heure	Initiales
2018-04-15	*13:00*						

Signature de l'infirmière	Initiales	Programme / Service	Signature de l'infirmière	Initiales	Programme / Service

Votre signature — Vos initiales — Vos initiales

▶ Deux jours se sont écoulés depuis l'accouchement de madame Valois. Ce matin, au moment de votre visite à son chevet, vous constatez une sensibilité utérine au moment où vous procédez à l'évaluation de l'involution utérine. De plus, madame Valois vous informe que les lochies sont plus abondantes que la veille et qu'elle perçoit une odeur nauséabonde lorsqu'elle change sa serviette hygiénique. La température de la cliente est de 39 °C. ▶

7. Que soupçonnez-vous dans cette situation ?

a) Une infection vaginale.
b) Une endométrite.
c) Une cervicite.
d) Un prolapsus utérin.

Réponse et justification :

8. Expliquez brièvement la raison pour laquelle cette complication a pu se développer chez madame Valois.

9. Écrivez une note d'évolution en vous basant sur les données de cet épisode de la mise en contexte.

Extrait des notes d'évolution

MAIS SI...

Si madame Valois présentait un saignement plus abondant que la normale et que l'on suspectait une anomalie de la coagulation, comment seraient influencés les résultats d'analyses de laboratoire suivants (augmentés ou diminués) ? ▶

- Temps de Quick: _________
- Temps de thromboplastine partielle: _________
- Nombre de plaquettes circulantes: _________
- Taux de fibrinogène: _________
- Temps de saignement: _________

10. Madame Valois ressent de plus en plus de douleur abdominale. Le médecin a prescrit du naproxène 250 mg q.8 h p.r.n. Complétez l'extrait du PTI de madame Valois en y indiquant le problème prioritaire et en rédigeant une directive infirmière à ce propos.

Extrait de PTI

Vos initiales

CONSTATS DE L'ÉVALUATION

Date	Heure	N°	Problème ou besoin prioritaire	Initiales	RÉSOLU / SATISFAIT			Professionnels / Services concernés
					Date	Heure	Initiales	
2018-04-15	13:00							
2018-04-17	08:30							

SUIVI CLINIQUE

Date	Heure	N°	Directive infirmière	Initiales	CESSÉE / RÉALISÉE		
					Date	Heure	Initiales
2018-04-15	13:00						
2018-04-17	08:00						

Signature de l'infirmière	Initiales	Programme / Service	Signature de l'infirmière	Initiales	Programme / Service

Votre signature · Vos initiales · Vos initiales

11. Outre l'administration de l'analgésique, citez et justifiez deux mesures de confort qui permettront de soulager la douleur de madame Valois.

____

____

____

____

____

____

____

____

12. Le médecin demande d'effectuer un prélèvement sanguin pour hémogramme complet et vitesse de sédimentation. Quelles données indiqueront que madame Valois présente un processus infectieux?

a) Une leucopénie et une augmentation de l'hématocrite.

b) Une diminution de la vitesse de sédimentation et une thrombocytopénie.

c) Une leucocytose et une augmentation de la vitesse de sédimentation.

d) Une diminution de l'hématocrite et une augmentation des polynucléaires. ▶

Réponse et justification:

13. Quels autres examens sanguins permettraient de déterminer l'agent pathogène en cause et de choisir l'antibiotique à utiliser pour l'enrayer?

14. Vous donnez de l'enseignement à madame Valois pour prévenir la propagation de l'infection. Citez au moins deux éléments à inclure dans le plan d'enseignement.

15. Serait-il pertinent de procéder à une culture des sécrétions vaginales et du col de l'utérus chez madame Valois?

À revoir

Infections postpartum et *Soins infirmiers: Infections postpartum*

▶ Madame Valois a maintenant 48 ans. Elle a accouché de son 4e enfant voilà 10 mois. Elle consulte l'infirmière du CLSC, car elle présente de l'incontinence urinaire à l'effort depuis le dernier accouchement. ◀

16. À partir des antécédents obstétricaux de madame Valois, quelle serait la cause de ce problème?

a) L'âge de la cliente.
b) Une infection urinaire.
c) Une faiblesse du plancher pelvien.
d) La multiparité.

Réponse et justification:

17. Au cours de l'examen physique de madame Valois, quel procédé permettrait de déterminer qu'il s'agit bien d'incontinence urinaire à l'effort?

18. Quel est l'exercice simple à enseigner à madame Valois et qui l'aiderait à diminuer l'incontinence urinaire ? Expliquez-le brièvement.

19. Au cours de l'évaluation de madame Valois, outre les manifestations cliniques physiques liées à l'incontinence urinaire, quel élément psychologique faut-il évaluer? Justifiez votre réponse.

20. Nommez au moins quatre signes indiquant que madame Valois pourrait souffrir de dépression en raison des impacts de l'incontinence urinaire sur sa qualité de vie.

21. D'après la réponse à la question précédente, si madame Valois présentait de tels signes, que faudrait-il évaluer en priorité par la suite?

a) Sa capacité à demander de l'aide.
b) Le risque suicidaire.
c) La dynamique familiale.
d) Les ressources de son entourage.

Réponse et justification:

À revoir

Séquelles génito-urinaires de l'accouchement (*Incontinence urinaire*) et *Troubles psychologiques péripartum* (*Dépression postpartum sans caractéristiques psychotiques*)

Situation de santé **Jugement clinique**

SA22 Caractéristiques du nouveau-né normal

Cliente : Jade

Solutionnaire

Chapitre à consulter

20 Adaptations physiologiques et comportementales du nouveau-né

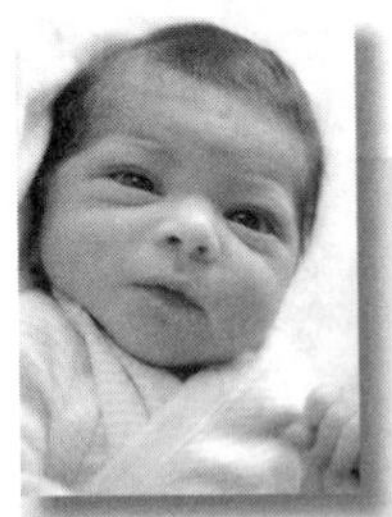

Jade est née par accouchement vaginal à 3 h 16 après 36 6/7 semaines de gestation. Son indice d'Apgar est de 9-10. Jade pèse 2 816 g, sa taille est de 48 cm, elle présente un périmètre crânien de 34 cm et un périmètre thoracique de 31,8 cm. Cette nouveau-née est le premier enfant de la famille.
Des analyses de laboratoire ont été réalisées sur le sang du cordon. En voici quelques résultats :
Hémoglobine : 160 g/L ; hématocrite : 52 % ; numération des érythrocytes : $4,8 \times 10^{12}$/L ; numération des leucocytes : 17×10^{9}/L ; numération des plaquettes : 240×10^{9}/L ; groupe sanguin : A négatif.
Il est 9 h. Jade dort calmement. Son teint est rosé. Sa fréquence respiratoire est de 38 R/min, elle ne présente aucun battement des ailes du nez, aucun tirage, et aucun bruit respiratoire n'est audible. Vous devez terminer la prise de ses signes vitaux. ▶

1. Comment procéderez-vous pour mesurer la fréquence cardiaque (F.C.) de Jade?

2. Les mesures anthropométriques de Jade sont-elles dans les normes ? Justifiez votre réponse.

3. Interprétez les résultats des analyses de laboratoire effectuées.

À revoir

Système circulatoire (*Fréquence et bruits cardiaques*), *Système hématopoïétique* et *Système squelettique*

▶ Jade présente un céphalhématome occipital de 2 cm sur 4 cm. ▶

4. Vous informez les parents que vous allez administrer de la vitamine K en injection intramusculaire à Jade après le premier boire. Pourquoi cela est-il nécessaire ?

a) Le foie de Jade est encore immature et incapable de synthétiser les facteurs de coagulation.

b) L'injection a pour but de prévenir l'augmentation du céphalhématome de Jade et de maîtriser le saignement.

c) L'intestin de Jade ne contient pas les bactéries nécessaires pour produire la vitamine K et activer les facteurs de coagulation.

d) Les plaquettes de Jade sont en nombre insuffisant et trop immatures pour assurer la thrombolyse.

Réponse et justification :

▶ La première miction de Jade a été faite ce matin. Les allaitements de 4 h et de 10 h 30 se sont bien déroulés. Jade maintient sa température axillaire dans les normes.
Il est 14 h ; vous commencez la démonstration du premier bain de Jade en compagnie de madame Côté et de son conjoint. Lorsque la cliente retire la couche de Jade, vous constatez la présence de sécrétions mucoïdes sur les organes génitaux, d'une substance blanchâtre et de l'œdème sur les grandes lèvres, ainsi que la présence d'une selle noire, épaisse et collante. Madame Côté vous demande si les selles des nouveau-nés sont toujours ainsi et combien de temps cela va durer. ▶

5. Que devriez-vous répondre à madame Côté ?

6. Comment les caractéristiques présentes aux organes génitaux externes de Jade s'expliquent-elles ?

MAIS SI...

Si Jade était née à 33 1/7 semaines, quelles différences pourrait-on observer quant à ses organes génitaux ?

À revoir

Système urinaire, *Système digestif* (*Selles*) et *Système reproducteur féminin*

▶ Vous poursuivez la démonstration du bain aux nouveaux parents. Jade est calme, et ses yeux sont grand ouverts. Lorsque vous passez la serviette sur sa joue, Jade se tourne rapidement et ouvre la bouche pour la saisir. Vous continuez le bain; au moment de l'immersion dans l'eau, Jade émet quelques pleurs. Vous précisez aux parents qu'il est très important d'assécher rapidement l'enfant après le bain. Lorsque tout est terminé, le père de Jade vous demande si la petite fille peut bien les voir. ▶

7. Que devriez-vous dire au père de Jade concernant la vision d'un nouveau-né?

a) L'acuité visuelle des nouveau-nés leur permet de voir des objets à plus de 50 cm.

b) La distance à laquelle la vision de Jade est la plus précise est de 17 à 20 cm.

c) Les nouveau-nés développeront leur vision jusqu'à l'âge de 1 an.

d) Les nouveau-nés ne distinguent pas les couleurs avant l'âge de 5 jours.

Réponse et justification:

8. Pourquoi est-il important de dire aux parents de Jade qu'ils doivent assécher rapidement leur nouveau-née après le bain?

SA23

Évaluation et suivi d'un nouveau-né né par césarienne

Client: Raphaël

Solutionnaire

Chapitre à consulter

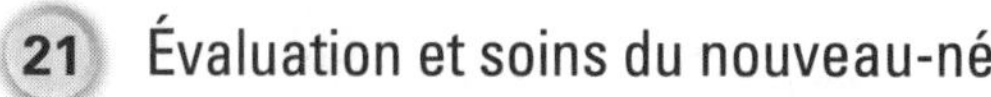

21 Évaluation et soins du nouveau-né

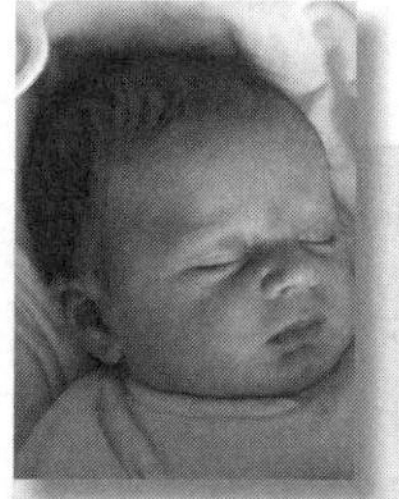

Raphaël est né par césarienne ce matin à 9 h 10 après 38 2/7 semaines de gestation. Sa mère, Sabrina Pouliot, traitée pour diabète gestationnel par diète seulement, a refusé l'accouchement vaginal après césarienne offert par son médecin et a préféré subir une deuxième césarienne. Elle a déjà une fillette âgée de 20 mois. À 1 minute de vie, Raphaël avait un indice d'Apgar de 8. Une succion nasopharyngée et oropharyngée a été réalisée par l'équipe soignante pour le libérer de ses sécrétions. À 5 minutes de vie, l'Apgar de Raphaël était à 10.

Il est 12 h 15; vous vous apprêtez à recevoir madame Pouliot et Raphaël aux îlots parents-enfants. Au cours du rapport téléphonique, une de vos collègues vous informe qu'une séance de contact peau à peau a été réalisée et qu'une tentative d'allaitement a été effectuée, mais sans succès.

Un peu après l'arrivée de madame Pouliot et de son nouveau-né à votre unité, vous procédez à l'examen physique de celui-ci, puisqu'il est éveillé, mais calme. Vous commencez par la prise des signes vitaux. La température axillaire de Raphaël est de 36,3 °C; sa fréquence cardiaque (F.C.) est de 128 batt./min, et sa fréquence respiratoire (F.R.) est de 38 R/min. Ses bras et ses jambes sont en flexion modérée. ▶

1. Laquelle de vos observations pourrait indiquer un problème chez Raphaël?

a) Sa température axillaire.
b) Sa F.C.
c) Sa F.R.
d) La flexion de ses membres.

Réponse et justification:

____

____

____

____

____

____

____

2. Nommez deux particularités que vous avez dû respecter lors de la prise du pouls de Raphaël.

____

____

____

____

____

____

3. Vous avez évalué minutieusement la respiration de Raphaël. Laquelle des manifestations respiratoires suivantes aurait révélé un problème si vous l'aviez observée chez ce nouveau-né?

a) Un rythme irrégulier.
b) Des bruits bronchiques forts.
c) Une amplitude superficielle.
d) Des geignements expiratoires.

▶

Réponse et justification :

À revoir

Soins infirmiers : Des premières heures de vie au congé (Évaluation physique complète)

4. Dans l'extrait du plan thérapeutique infirmier (PTI) ci-après, le deuxième problème prioritaire et la directive infirmière y étant associée vous semblent-ils pertinents ? Justifiez votre réponse.

Extrait de PTI

CONSTATS DE L'ÉVALUATION								
Date	Heure	N°	Problème ou besoin prioritaire	Initiales	RÉSOLU / SATISFAIT			Professionnels / Services concernés
					Date	Heure	Initiales	
2018-09-15	*09:10*	*2*	*Naissance par césarienne à 38 2/7 semaines de gestation*	*L.P.*				
2018-09-15	*12:30*	*3*	*Risque d'hypothermie*	*L.P.*				

SUIVI CLINIQUE							
Date	Heure	N°	Directive infirmière	Initiales	CESSÉE / RÉALISÉE		
					Date	Heure	Initiales
2018-09-15	*09:10*	*2*	*Appliquer le suivi standard du nouveau-né.*	*L.P.*			
2018-09-15	*12:30*	*3*	*Vérifier T° axillaire q.1 h ad stabilité.*				

Signature de l'infirmière	Initiales	Programme / Service	Signature de l'infirmière	Initiales	Programme / Service
Luce Pelletier	*L.P.*				

5. Quels sont les deux éléments oubliés par l'infirmière lors de la détermination du PTI ?

6. En plus de la directive déjà inscrite au PTI, nommez une intervention prioritaire pour prévenir l'hypothermie chez Raphaël.

7. Madame Pouliot tient son nouveau-né contre elle et lui caresse la joue du bout du doigt. Raphaël tourne alors la tête de ce côté. Comment se nomme cette réaction?

a) Le réflexe tonique du cou.
b) Le réflexe d'extrusion.
c) Le réflexe des points cardinaux.
d) Le réflexe de McCarthy.

Réponse et justification:

À revoir

Soins infirmiers: De la naissance aux premières heures de vie (*Thermorégulation*) et *Soins infirmiers: Des premières heures de vie au congé* (*Évaluation neurologique*)

▶ Vers 13 h 30, juste avant l'allaitement, vous vous apprêtez à effectuer les tests de dépistage néonataux chez Raphaël par ponction au talon. Vous aidez madame Pouliot à installer Raphaël pour la mise au sein afin qu'il puisse commencer à téter au moment où vous procéderez à la ponction. ▶

8. Dans quel but installez-vous Raphaël pour la mise au sein juste avant la réalisation de la ponction?

9. Sur l'image qui suit, noircissez les zones pouvant être utilisées en toute sécurité pour effectuer une ponction au talon chez le nouveau-né.

À revoir

Prélèvements (*Ponction au talon*) et *Prise en charge de la douleur chez le nouveau-né*

▶ Raphaël a le teint rosé, est calme et bien éveillé. Sa température axillaire est maintenant à 36,7 °C. Il ne présente aucune difficulté respiratoire. Pendant l'allaitement, sa succion est vigoureuse, mais non soutenue. Madame Pouliot doit stimuler Raphaël en lui parlant et en le caressant pour qu'il se remette à téter et s'assurer que l'allaitement est efficace. ▶

10. D'après ces nouvelles données, écrivez une note au dossier qui refléterait l'évolution de l'état de Raphaël et précisez sous l'encadré en quoi ces notes sont pertinentes.

Extrait des notes d'évolution

▶

▶ À 15 h 25, Raphaël semble s'éveiller tranquillement. Sa respiration change, et il remue doucement les bras et les jambes. Vous profitez de cet instant pour vérifier ses signes vitaux. La température axillaire est maintenant rendue à 36,9 °C, la F.R. et la F.C. sont dans les normes. La soirée et la nuit se passent très bien. La température axillaire de Raphaël s'est maintenue dans les valeurs normales. Il a été pesé de nouveau ; son poids est de 4 176 g. Il s'éveille de lui-même pour les allaitements toutes les 2 ou 3 heures, et sa succion est ample et soutenue. Son élimination, urines et selles, est plus que satisfaisante. Il est 8 h, vous amorcez votre quart de travail et vous vous occupez toujours de la famille Pouliot. Vous visitez la cliente et son nouveau-né vers 8 h 15. ▶

11. Calculez le pourcentage de perte de poids de Raphaël, en arrondissant au dixième près.

a) 0,7 %
b) 1,1 %
c) 1,5 %
d) 1,8 %

Réponse et justification :

12. Vérifiez la bonne réponse à la question précédente et commentez la perte de poids chez Raphaël.

À revoir

Le tableau 21.4 *Évaluation physique du nouveau-né : apparence, signes vitaux et mesures de base*

13. Vous vérifiez le PTI de Raphaël. À la lumière des évaluations réalisées la nuit passée, quels sont les ajustements à apporter au PTI ?

Extrait de PTI

CONSTATS DE L'ÉVALUATION								
Date	Heure	N°	Problème ou besoin prioritaire	Initiales	RÉSOLU / SATISFAIT			Professionnels / Services concernés
					Date	Heure	Initiales	
2018-09-15	*09:10*	*1*	*Naissance par césarienne à 40 2/7 semaines*					
			de gestation	*L.P.*				
2018-09-15	*12:30*	*2*	*Risque d'hypothermie*	*L.P.*				

SUIVI CLINIQUE							
Date	Heure	N°	Directive infirmière	Initiales	CESSÉE / RÉALISÉE		
					Date	Heure	Initiales
2018-09-15	*09:10*	*1*	*Appliquer le suivi standard du nouveau-né.*	*L.P.*			
2018-09-15	*12:30*	*2*	*Vérifier T° axillaire q.1 h ad stabilité.*	*L.P.*			

Signature de l'infirmière	Initiales	Programme / Service	Signature de l'infirmière	Initiales	Programme / Service
Luce Pelletier	*L.P.*	*Unité mère-enfant*			

14. Le conjoint de madame Pouliot est présent ce matin et souhaite donner le premier bain de Raphaël. Le nouveau-né présente une quantité modérée de vernix caseosa dans les replis de sa peau. Que devriez-vous expliquer au conjoint relativement au premier bain de Raphaël ?

a) Utiliser un savon à base de glycérine.

b) Utiliser de l'eau tiède seulement.

c) Utiliser de l'huile d'amande douce.

d) Utiliser une lotion nettoyante hypoallergène.

Réponse et justification :

▶ Trois jours après la naissance de Raphaël, celui-ci obtient son congé du centre hospitalier. Pendant l'enseignement de départ, vous mentionnez à madame Pouliot l'importance de coucher le nouveau-né sur le dos pour éviter le syndrome de mort subite du nourrisson. ◀

15. Quels autres renseignements importants devriez-vous transmettre à madame Pouliot en vue d'assurer un sommeil sécuritaire à Raphaël ? Nommez-en quatre et justifiez-les.

▶

À revoir

Bain, soins du cordon et *de la peau* et l'encadré 21.11 *Sécurité du nouveau-né*

Situation de santé **Jugement clinique**

SA24 Nouveau-né à risque

Client : Wayne

Solutionnaire 

Chapitre à consulter

 Nouveau-né à risque

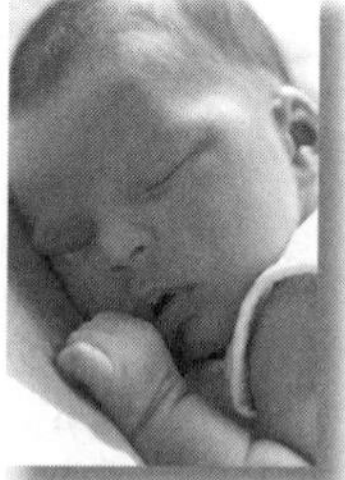

La mère du petit Wayne à naître se présente à l'unité mère-enfant. Sa grossesse en est à 35 1/7 semaines. Elle ressent des contractions intenses et régulières toutes les 3 à 5 minutes. Elle mentionne avoir imbibé 2 serviettes hygiéniques de sang rouge foncé au cours de la dernière heure. Elle décrit la douleur comme étant forte, ressentie toujours à la même région de son utérus.

Vous procédez à l'évaluation initiale de la mère et l'installez dans la chambre de naissance. La cliente, âgée de 41 ans, présente de l'hypertension gestationnelle. Elle a déjà fait une fausse couche au premier trimestre d'une grossesse précédente. Elle occupe un emploi stable depuis plusieurs années, dans une compagnie de publicité. Elle ne fume pas et dit avoir consommé de l'alcool occasionnellement durant la présente grossesse. L'examen gynécologique effectué par l'obstétricienne révèle que l'accouchement est imminent. ▶

1. Outre l'âge gestationnel, quel autre facteur influera sur les risques associés à la prématurité chez Wayne?

2. En fonction de son âge gestationnel, les professionnels de la santé considèrent que Wayne est un nouveau-né peu prématuré. Quel impact cela aura-t-il sur l'endroit où lui seront prodigués ses soins après sa naissance?

3. Quel problème maternel a influé sur la prématurité de Wayne?

a) L'âge de la mère (plus de 40 ans).

b) Sa prise d'alcool durant la grossesse.

c) L'antécédent de fausse couche.

d) L'hypertension gestationnelle. ▶

Réponse et justification :

À revoir

Nouveau-né prématuré

▶ Wayne vient de naître. Il est flasque et ne respire pas spontanément. Vous procédez aux manœuvres habituelles dans ces situations. ▶

4. Après 60 secondes de vie, Wayne respire, et sa fréquence cardiaque est supérieure à 100 battements par minute. Il est toujours cyanosé. Quelle intervention devrez-vous effectuer alors ?

5. Quel signe vous indiquerait que Wayne souffre d'insuffisance respiratoire ?

À revoir

Fonction respiratoire et *Soins infirmiers : Nouveau-né prématuré* (*Réanimation néonatale*)

▶ L'état cardiorespiratoire de Wayne est stabilisé. Il se trouve maintenant à la pouponnière. La cohabitation avec la mère ne sera pas possible pour le moment. Vous effectuez les soins d'admission de ce nouveau-né. Son poids se situe à 2 090 g. ▶

6. Nommez deux signes cliniques à vérifier qui indiqueraient que Wayne présente de la détresse respiratoire.

a) De l'irritabilité et des réflexes exagérés.
b) Des battements des ailes du nez et de la tachypnée.
c) De l'acrocyanose et de la léthargie.
d) Des tremblements suivis de convulsions.

Réponse et justification :

7. Vous souhaitez maintenir un environnement thermique neutre. Dans ce but, vous avez installé Wayne dans un incubateur chauffé. Que devez-vous éviter dans cette situation ? Justifiez votre réponse.

8. À part la rougeur de la peau et la tachycardie, nommez l'autre signe indicateur d'hyperthermie à surveiller chez Wayne.

a) L'apnée.
b) L'hypotonie.
c) Une succion faible.
d) Des pleurs aigus.

Réponse et justification :

9. Vous observez des pauses respiratoires chez Wayne qui durent de 5 à 10 secondes. Comment devriez-vous interpréter cette donnée ?

À revoir

Fonction respiratoire et *Température corporelle*

▶ Au moment de la naissance de Wayne, l'obstétricienne a utilisé les forceps. Cela a entraîné la formation d'une bosse sérosanguine au côté droit de la tête du nouveau-né. ▶

10. Quelle sera votre principale intervention infirmière en lien avec la bosse sérosanguine ?

a) Appliquer des compresses tièdes.
b) Surveiller les signes neurologiques.
c) Aucun traitement n'est nécessaire.
d) Masser doucement la zone atteinte.

Réponse et justification :

11. Que pourrait favoriser l'existence de cette bosse sérosanguine ? Expliquez brièvement la cause physiopathologique sous-jacente à cette condition.

12. Voici un extrait du plan thérapeutique infirmier (PTI) de Wayne. Devriez-vous y ajouter un problème prioritaire ? Justifiez votre réponse.

Extrait de PTI

CONSTATS DE L'ÉVALUATION

Date	Heure	N°	Problème ou besoin prioritaire	Initiales	RÉSOLU / SATISFAIT			Professionnels / Services concernés
					Date	Heure	Initiales	
2018-06-03	*18:30*	2	*Naissance prématurée à 35 1/7 semaines*	*N.S.*				

SUIVI CLINIQUE

Date	Heure	N°	Directive infirmière	Initiales	CESSÉE / RÉALISÉE		
					Date	Heure	Initiales
2018-06-03	*18:30*	2	*Appliquer le protocole de soins aux nouveau-nés peu prématurés.*	*N.S.*			

Signature de l'infirmière	Initiales	Programme / Service	Signature de l'infirmière	Initiales	Programme / Service
Nadia Santerre	*N.S.*	*Pouponnière*			

13. Comment est-il possible de prévenir l'apparition de l'ictère chez Wayne?

a) Lui donner des biberons d'eau glucosée.

b) Faire des traitements de photothérapie.

c) Lui donner des biberons d'eau toutes les quatre heures.

d) Amorcer l'allaitement maternel dès que possible.

Réponse et justification:

À revoir

Maladie hémolytique du nouveau-né (*Autres troubles hémolytiques*) et *Traumatismes de l'accouchement*

▶ Vous remarquez que Wayne présente des tremblements et de l'irritabilité. ▶

14. Que peuvent révéler ces signes chez Wayne?

15. Vous devez vérifier régulièrement la glycémie de Wayne. Quel résultat vous indiquerait la présence d'une hypoglycémie?

a) Un résultat inférieur à 2,5 mmol/L.

b) Un résultat inférieur à 2,2 mmol/L.

c) Un résultat inférieur à 2,0 mmol/L.

d) Un résultat inférieur à 1,8 mmol/L.

Réponse et justification:

À revoir

Hypoglycémie, Hyperglycémie, État nutritionnel et le tableau 22.2 *Collecte des données et interventions chez le nouveau-né peu prématuré*

▶ Vous administrez un boire de lait à Wayne. Il s'agit d'une préparation commerciale pour nourrissons (PCN) en poudre. ◀

16. Quel est le risque associé au mode de préparation de ces PCN?

17. À partir de l'histoire de Wayne, placez les boîtes aux bons endroits pour reconstituer la minicarte conceptuelle.

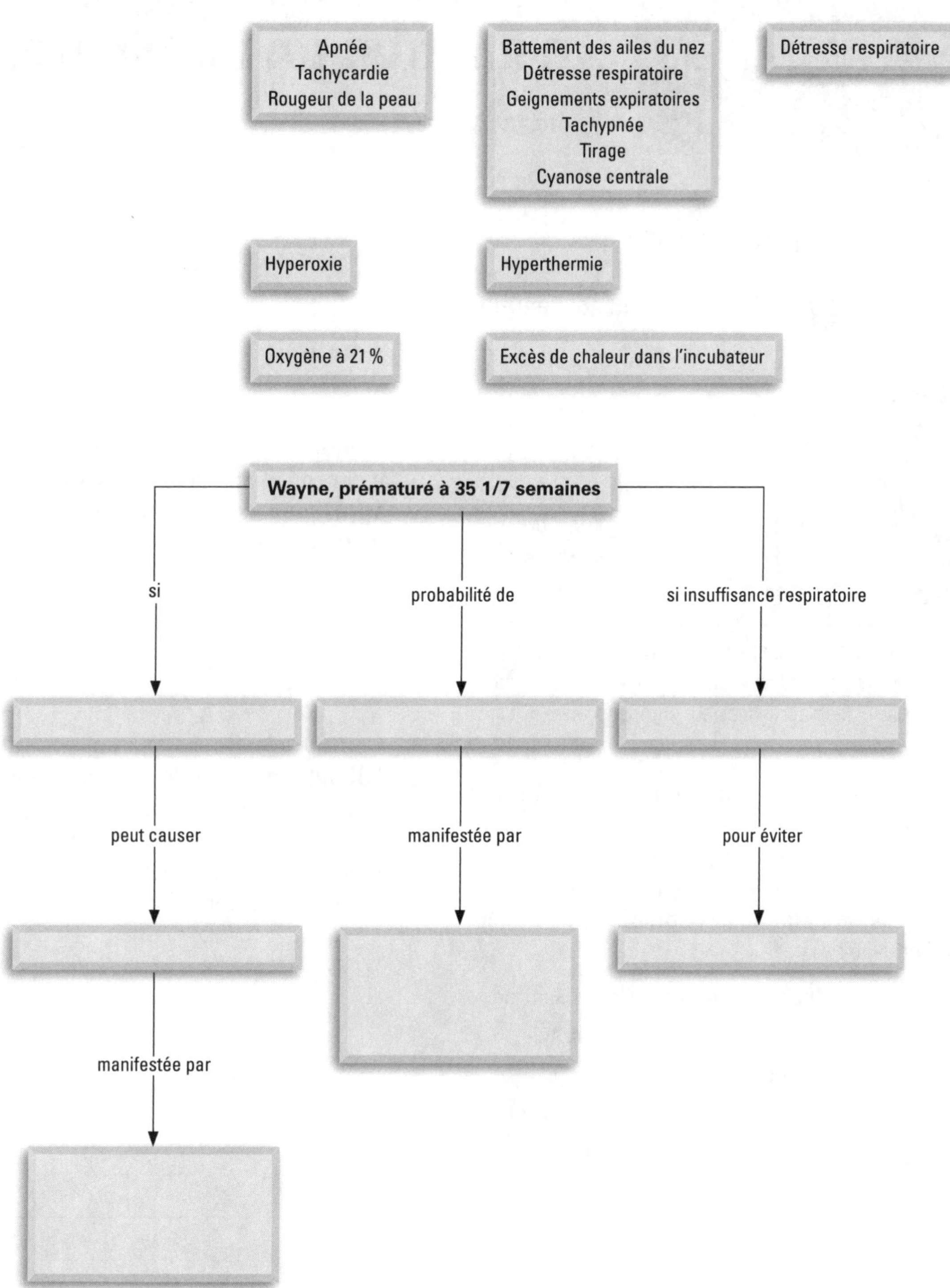

Situation de santé **Jugement clinique**

SA25 Allaitement maternel chez un nouveau-né versus alimentation au biberon

Cliente : Monique Lalande

Solutionnaire 

Chapitre à consulter

 23 Alimentation du nouveau-né

Monique Lalande, âgée de 32 ans, vient d'accoucher de son premier enfant il y a 15 minutes. C'est un garçon en pleine santé, dont l'indice d'Apgar est à 10/10 et qui pèse 3 719 g. Madame Lalande a accouché à 40 3/7 semaines en optant pour l'épidurale. Le liquide amniotique était clair et sans odeur particulière. Le nouveau-né commence à faire de petits mouvements de succion avec sa bouche et il essaie même d'y mettre ses mains. ▶

1. Selon l'une des *Dix conditions pour le succès de l'allaitement maternel* énoncées par l'Organisation mondiale de la Santé (OMS) et l'UNICEF, combien de temps après avoir accouché madame Lalande devrait-elle allaiter son nouveau-né ?

   a) Au moins deux heures après la naissance.
   b) Une heure et demie après la naissance.
   c) Une heure après la naissance.
   d) Dans la demi-heure suivant la naissance.

   Réponse et justification :

2. Toujours selon ces dix conditions, quelle mesure l'établissement hospitalier devrait-il appliquer concernant la cohabitation de madame Lalande et de son nouveau-né ?

3. Comme c'est son premier enfant, madame Lalande se demande comment elle peut reconnaître qu'il a faim. Énumérez les signes de la faim que son nouveau-né présente actuellement et ceux qu'il pourrait aussi manifester à un autre moment.

À revoir

Hôpitaux amis des bébés : historique de l'initiative et *Allaitement du nouveau-né*

▶ Madame Lalande essaie de mettre son nouveau-né au sein, mais elle y parvient difficilement. Elle avoue ne pas savoir comment le placer. Elle n'a pas assisté à des cours prénataux, car cela ne l'intéressait pas et elle n'a rien lu concernant l'allaitement. Elle n'a personne de son entourage qui allaite, mais elle veut tenter l'expérience, car elle trouve très beau de voir une mère allaitant son enfant. ▶

4. En plus de lui suggérer des positions d'allaitement, indiquez à madame Lalande sept points qu'elle devrait respecter lorsqu'elle s'installe pour allaiter, avant même de mettre son nouveau-né au sein.

5. Madame Lalande a eu une épisiotomie lors de l'accouchement. En ce moment, elle dit ressentir de la douleur modérée au périnée. Quelle position d'allaitement devriez-vous lui suggérer ?

a) La position du ballon de football.

b) La position allongée sur le côté.

c) La position physiologique.

d) La position de la madone inversée.

Réponse et justification :

À revoir

Positions d'allaitement

▶ Madame Lalande se place pour donner le sein. Lorsqu'elle installe son nouveau-né, son mamelon chatouille la joue de celui-ci qui le prend rapidement dans sa bouche et se met à téter. Madame Lalande ressent une douleur vive au sein et essaie d'en retirer son nouveau-né. Elle y parvient, non sans douleur. Elle dit qu'elle ne croyait pas que ce serait si difficile. ▶

6. Comment la cliente doit-elle mettre son nouveau-né au sein pour éviter la douleur ?

7. Comment madame Lalande peut-elle retirer son nouveau-né du sein sans douleur?

À revoir

Mise au sein

8. Après analyse de cet épisode, quel est le problème prioritaire à inscrire dans l'extrait du plan thérapeutique infirmier (PTI) de madame Lalande qui nécessiterait un suivi clinique particulier?

Vos initiales

CONSTATS DE L'ÉVALUATION								
Date	Heure	N°	Problème ou besoin prioritaire	Initiales	RÉSOLU / SATISFAIT			Professionnels / Services concernés
					Date	Heure	Initiales	
2018-06-10	*13:40*	*2*						

Signature de l'infirmière	Initiales	Programme / Service	Signature de l'infirmière	Initiales	Programme / Service
		Unité mère-enfant			

Votre signature — Vos initiales

▶ Le nouveau-né commence à téter vigoureusement; madame Lalande vous mentionne qu'elle ressent de nouveau des contractions utérines et qu'elle sent un écoulement sanguin plus important. ▶

9. Quelle est l'hormone responsable du désagrément ressenti par madame Lalande?

a) La prolactine.
b) L'œstrogène.
c) L'ocytocine.
d) La progestérone.

Réponse et justification:

10. Pendant combien de temps madame Lalande doit-elle faire boire son nouveau-né?

À revoir

Lactogenèse et *Durée des tétées*

▶ Le fils de madame Lalande tète très bien chaque sein pendant 20 minutes. Les sons de déglutition sont audibles, et il s'endort à la fin de l'allaitement, ce qui indique pour le moment un allaitement efficace. ▶

11. Si la cliente poursuit l'allaitement et que celui-ci se déroule bien, quel aspect les selles de son nouveau-né devraient-elles avoir après une semaine?

a) Jaunes, molles et grumeleuses.
b) Noires verdâtres et collantes.
c) Jaunes verdâtres et liquides.
d) Vertes, épaisses et collantes.

Réponse et justification:

À revoir

Indicateurs d'un allaitement efficace

▶ Vous expliquez à madame Lalande qu'un nouveau-né doit être allaité au minimum 8 fois par période de 24 heures pour combler ses besoins nutritionnels. La cliente dit qu'elle n'a pas beaucoup apprécié la sensation d'avoir un bébé qui tète son sein, même si elle sait que l'allaitement s'est déroulé à merveille et que son nouveau-né s'est endormi dans ses bras. Elle aimerait donner le biberon. ▶

12. Il a été suggéré d'ajouter deux conditions aux *Dix conditions pour le succès de l'allaitement maternel.* Quelles sont ces conditions dont il faut tenir compte pour bien prendre soin de madame Lalande qui n'a pas apprécié son expérience d'allaitement?

13. Madame Lalande demande à quelle fréquence elle doit donner le biberon à son nouveau-né, car elle a entendu dire que c'était moins souvent qu'au sein. Que devrait-elle savoir à ce sujet?

14. Puisque madame Lalande nourrit son nouveau-né au biberon, dans quelles positions peut-elle placer celui-ci pour lui faire faire son rot?

À revoir

Rôle de l'infirmière et *Alimentation avec des préparations commerciales* (*Fréquence de l'alimentation et quantité, Techniques d'alimentation*)

▶ Madame Lalande voudrait savoir s'il y a une sorte de PCN qui coûte moins cher. ▶

15. Quelles informations devriez-vous lui donner sur les différents types de PCN et leur coût?

À revoir

Types de préparations commerciales et mode d'utilisation

▶ Madame Lalande a choisi de nourrir son enfant avec des préparations en poudre. ◀

16. Quelle eau devrait-elle utiliser pour préparer la PCN en poudre?

a) De l'eau tiède du robinet, additionnée de fluor.

b) De l'eau à la température de la pièce, sans aucun ajout.

c) De l'eau bouillie, puis refroidie à la température de la pièce.

d) De l'eau bouillie ramenée à une température de 70 °C ou plus.

Réponse et justification:

À revoir

Types de préparations commerciales et *mode d'utilisation*

Situation de santé **Jugement clinique**

SA26 Rôle parental après l'accouchement

Clients : Julie Nadeau et Dave Lebel

Solutionnaire 

Chapitre à consulter

24 Adaptation au rôle de parents

Julie Nadeau et son conjoint Dave Lebel, âgés respectivement de 28 et de 44 ans, se trouvent à l'unité mère-enfant. Ils sont parents de Rosalie, leur premier enfant, née à 38 5/7 semaines de grossesse. Le couple ne possède aucune expérience auprès des enfants. Les nouveaux parents se disent anxieux à l'idée de tenir Rosalie dans leurs bras, de lui donner des soins et de l'alimenter. Ils ont peur de la blesser ou de ne pas savoir reconnaître les signes d'une complication. ▶

1. De manière générale, indiquez trois interventions infirmières qui favoriseraient l'attachement entre madame Nadeau, monsieur Lebel et Rosalie.

2. Indiquez un comportement que Rosalie pourrait présenter et qui faciliterait l'attachement parental.

a) Rosalie a une attitude endormie, les yeux fermés la plupart du temps.

b) Rosalie sursaute fortement quand un de ses parents la touche.

c) Rosalie suit avec son regard le visage de son père ou de sa mère.

d) Rosalie sollicite l'attention de tout adulte dans la pièce.

Réponse et justification :

3. Comment pourriez-vous reconnaître que madame Nadeau réagit négativement à l'arrivée de Rosalie ?

4. Citez un comportement des nouveaux parents qui indiquerait que leur relation avec Rosalie s'établit.

a) Les parents trouvent préférable de nourrir Rosalie à heures fixes.

b) Les parents discutent de leur enfant, sans utiliser son prénom.

c) Les parents touchent toujours Rosalie du bout des doigts.

d) Les parents tendent les bras vers Rosalie puis la serrent contre eux.

Réponse et justification :

____

____

Extrait de PTI

CONSTATS DE L'ÉVALUATION								
Date	Heure	N°	Problème ou besoin prioritaire	Initiales	RÉSOLU / SATISFAIT			Professionnels / Services concernés
					Date	Heure	Initiales	
2018-03-14	*06:00*	*2*	*Accouchement vaginal à 37 5/7 semaines de grossesse*	*A.H.*				
2018-03-14	*12:30*	*3*						

SUIVI CLINIQUE							
Date	Heure	N°	Directive infirmière	Initiales	CESSÉE / RÉALISÉE		
					Date	Heure	Initiales
2018-03-14	*06:00*	*2*	*Appliquer le suivi postpartum standard pour accouchement vaginal*	*A.H.*			

Signature de l'infirmière	Initiales	Programme / Service	Signature de l'infirmière	Initiales	Programme / Service
Adeline Henri	*A.H*	*Unité mère-enfant*			

Votre signature

Vos initiales

5. Vous remplissez l'extrait du PTI de madame Nadeau. Ajoutez un constat de l'évaluation en vous basant sur les éléments de la situation de santé.

____

____

____

____

____

____

À revoir

Attachement, Prise de contact, Communication sensorielle entre le parent et le nouveau-né et *Transition à la parentalité*

▶ Les parents habitent ensemble depuis huit mois. En effet, madame Nadeau est devenue enceinte dès le premier mois de leurs fréquentations. Ils ont hésité à poursuivre la grossesse et à s'établir en appartement. Monsieur Lebel se considérait comme étant trop vieux pour devenir père et pour endosser de nouvelles responsabilités familiales. ▶

6. Quel pourrait être l'impact de l'arrivée de Rosalie sur ce couple?

7. Compte tenu des circonstances ayant précédé l'arrivée de Rosalie, quel problème risque de survenir lorsque les parents retourneront à la maison avec leur nouveau-née?

8. Vous discutez avec les parents de l'importance de se retrouver comme couple après leur retour à la maison. Vous abordez alors le sujet de l'intimité sexuelle. Pour quelle raison est-il important d'en discuter?

9. Madame Nadeau vous demande à quel moment elle et son conjoint pourront reprendre les relations sexuelles. Elle n'a subi ni déchirure ni épisiotomie lors de l'accouchement. Vous devriez lui répondre qu'en général, un couple peut reprendre les activités sexuelles…

   a) entre la deuxième et la quatrième semaine suivant la naissance.
   b) entre la quatrième et la sixième semaine suivant la naissance.
   c) entre la sixième et la huitième semaine suivant la naissance.
   d) pas avant la huitième semaine suivant la naissance.

   Réponse et justification:

10. Nommez quatre facteurs qui peuvent influer sur la reprise des activités sexuelles du couple.

À revoir

Transition à la parentalité et le PSTI 24.1 *Suivi de soins à domicile: transition à la parentalité*

▶ Madame Nadeau et monsieur Lebel vous confient avoir de la difficulté à se reposer et à dormir au centre hospitalier puisqu'ils reçoivent de nombreux visiteurs. ▶

11. Pour remédier à cette situation, vous devriez suggérer aux parents…

    a) de confier l'enfant à une personne de la famille pour quelques jours à la suite du congé du centre hospitalier.
    b) d'opter pour l'alimentation au biberon plutôt que de choisir l'allaitement maternel.
    c) de cesser la cohabitation et de demander que l'enfant soit sous les soins de la pouponnière.
    d) de limiter les visiteurs au centre hospitalier afin de ne pas créer davantage de stress et de fatigue.

    Réponse et justification:

12. Comment l'âge de monsieur Lebel influence-t-il son adaptation au rôle de parent?

À revoir

Facteurs d'influence de l'adaptation au rôle de parents et le PSTI 24.1 *Suivi de soins à domicile : transition à la parentalité*

▶ Les parents de madame Nadeau lui rendent visite. Ils souhaitent participer aux soins de Rosalie et offrent du soutien au couple en vue de leur retour à la maison. ◀

13. Que pensez-vous de l'intention des parents de la cliente?

À revoir

Adaptation des grands-parents

Situation de santé **Jugement clinique**

RE01

Rôle de l'infirmière dans un contexte de soins en périnatalité

Cliente : Laura MacPherson

Solutionnaire

Chapitre à consulter

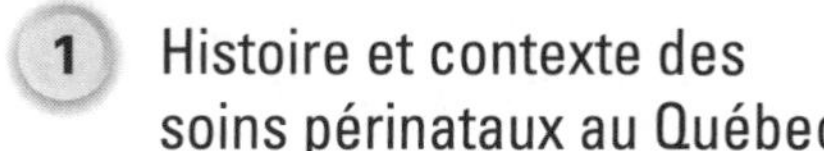

1 Histoire et contexte des soins périnataux au Québec

Laura MacPherson, âgée de 34 ans, est enceinte de son deuxième enfant. Elle en est à sa 20e semaine de grossesse, laquelle se déroule normalement. Avant d'être enceinte, elle avait un indice de masse corporelle (IMC) de 30. À son premier enfant, elle a accouché au centre hospitalier, mais n'a pas aimé l'expérience, trouvant l'environnement impersonnel et non chaleureux. Cette fois-ci, elle désire accoucher dans une maison de naissance et souhaite être suivie par une infirmière et une sage-femme. Au cours d'une rencontre avec l'infirmière, cette dernière remarque une ecchymose au poignet gauche de madame MacPherson. Sa pression artérielle (P.A.) est de 142/88 mm Hg. ◄

1. Dans le cadre du suivi de grossesse, qu'est-ce que l'infirmière devrait soupçonner relativement à l'ecchymose au poignet de la cliente?

2. Quelle question faudrait-il poser en priorité à la cliente au sujet de la valeur de la P.A. actuelle?

   a) Prend-elle des médicaments antihypertenseurs présentement?

   b) Est-elle suivie par un médecin pour son hypertension artérielle?

   c) Sa P.A. était-elle élevée avant sa grossesse actuelle?

   d) Quelle était la valeur de sa P.A. à sa première grossesse?

Réponse et justification :

À revoir

L'encadré 1.10 *Contribution des infirmières québécoises aux soins destinés aux femmes et aux nouveau-nés* (*Suivi de grossesse*)

3. À la suite de l'analyse de l'IMC de la cliente, l'infirmière lui propose un programme d'alimentation adapté à sa condition en partenariat avec une nutritionniste. Cette intervention est-elle compatible avec le rôle de l'infirmière en périnatalité ?

   a) Oui, car c'est une des activités de promotion de la santé.
   b) Oui, car c'est une activité réservée spécifiquement à l'infirmière.
   c) Non, car cela empiète sur le champ d'exercice de la nutritionniste.
   d) Non, car c'est à la nutritionniste d'évaluer ce besoin chez la cliente.

   Réponse et justification :

À revoir

Infirmière en périnatalité

4. Madame MacPherson veut en savoir plus sur l'accouchement dans une maison de naissance. En plus d'y obtenir des services offerts par des professionnelles comme une sage-femme, quel autre point pourrait être bénéfique pour la cliente ?

   a) En cas de problème à l'accouchement, elle peut être transférée rapidement dans un centre hospitalier situé tout près.
   b) Elle peut profiter de plus d'intimité familiale, favorisant le déroulement naturel de l'accouchement et de l'accueil du nouveau-né.
   c) Le coût d'un accouchement dans une maison de naissance est remboursé intégralement par la Régie de l'assurance maladie du Québec.
   d) Le séjour est d'environ 24 heures après la naissance, mais la famille peut quitter les lieux 3 heures après la fin de l'accouchement.

   Réponse et justification :

À revoir

Maison de naissance

Situation de santé **Jugement clinique**

RE02 Signes de grossesse chez une primipare

Cliente : Sandra Popova

Chapitre à consulter

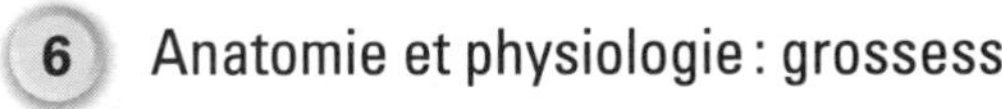

Sandra Popova est âgée de 30 ans. Son cycle menstruel a toujours été irrégulier, variant de 28 à 38 jours. Cette fois-ci, elle n'est toujours pas menstruée après 43 jours. Au cours de l'examen médical, la gynécologue a constaté un ramollissement du segment inférieur de l'utérus de la cliente (signe de Hegar) et du col utérin (signe de Goodell), ainsi qu'une coloration bleuâtre de la muqueuse vaginale (signe de Chadwick). Madame Popova est enceinte pour la première fois.
Une échographie a permis de déceler les battements du cœur fœtal. La cliente se plaint de nausées matinales et elle vomit parfois. Elle ajoute qu'elle urine souvent, mais en petites quantités à la fois. ◄

1. En plus des mictions fréquentes et peu abondantes, nommez une autre manifestation urinaire découlant d'une adaptation physiologique de la grossesse, que madame Popova pourrait présenter.

a) De l'hématurie.

b) De la dysurie.

c) De la nycturie.

d) De la pyurie.

Réponse et justification :

2. À ce stade-ci de sa grossesse, madame Popova devrait-elle présenter un chloasma et une ligne brune abdominale ? Justifiez votre réponse.

▶ RE02

3. D'après les données de cette mise en contexte, reconstituez la minicarte conceptuelle en distinguant les signes présomptifs de grossesse chez madame Popova des signes probables et des signes positifs.

À revoir

Le tableau 6.1 *Signes de grossesse, Utérus* (*Modifications du col utérin, Vagin et vulve*), *Système urinaire* et *Système tégumentaire*

- Signe de Chadwick
- Vomissements
- Aménorrhée
- Signe de Goodell
- Nausées
- Pollakiurie
- Signe de Hegar
- Cœur fœtal décelable à l'échographie

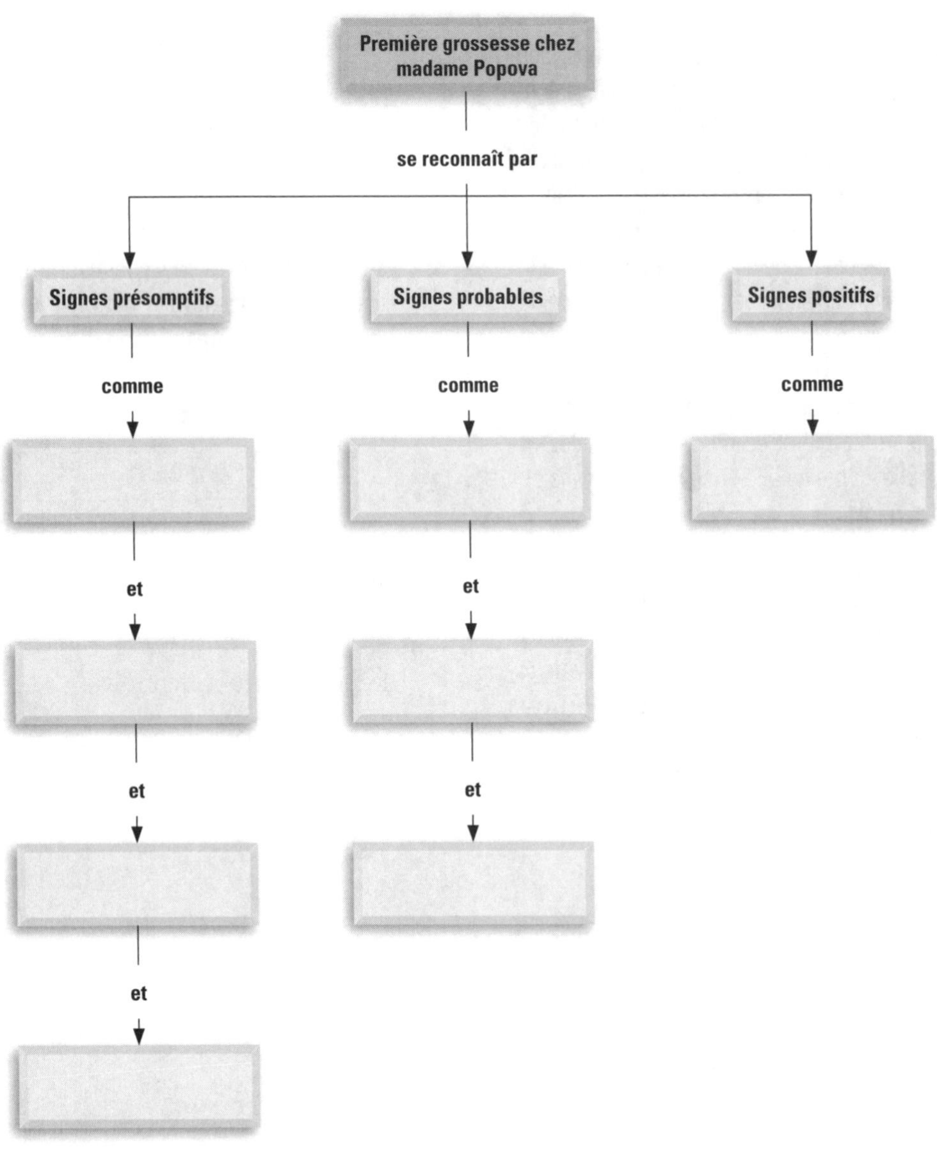

Situation de santé **Jugement clinique**

RE03

Évaluation biochimique (alphafœtoprotéine)

Cliente : Larissa Lépine

Solutionnaire 

Chapitre à consulter

 Évaluation de la grossesse à risque élevé

Larissa Lépine, âgée de 44 ans, est enceinte de 18 semaines. Elle doit subir une amniocentèse afin de déterminer le taux d'alphafœtoprotéine (AFP). ◄

1. En consultant le dossier de madame Lépine, vous constatez qu'elle a déjà passé un examen sanguin pour doser les AFP, soit le taux d'alphafœtoprotéines sériques maternels (AFPSM). Quelle distinction établissez-vous entre ces deux examens, à savoir la détermination du taux d'AFP et celui d'AFPSM?

2. Madame Lépine a eu un prélèvement sanguin pour un test de Coombs indirect, dont le résultat était supérieur à 1:8. En plus du dosage d'AFP, quelle autre analyse essentielle devrait être effectuée sur l'échantillon de liquide amniotique?

a) Le caryotype fœtal.

b) L'osmolalité.

c) Le rapport lécithine/sphingomyéline.

d) Le taux de bilirubine.

Réponse et justification :

3. Madame Lépine est de facteur Rh négatif. Que devriez-vous faire pour prévenir les complications postamniocentèse ? Justifiez votre réponse.

4. Comment est-il possible de déterminer que la fermeture du tube neural n'est pas survenue chez le fœtus à la suite du dosage d'AFP dans le liquide amniotique ?

5. Quel autre examen paraclinique accompagne l'amniocentèse dans ce cas précis ?

   a) L'examen de réactivité fœtale.

   b) La cordocentèse.

   c) L'échographie.

   d) Le prélèvement de villosités choriales.

   Réponse et justification :

À revoir

Amniocentèse, Tests sanguins chez la mère (*Marqueurs sériques maternels*) et *Échographie* (*Catégories d'échographie*)

RE04 Paralysie de Bell

Cliente : Laurence Bertrand

Solutionnaire 

Chapitre à consulter

10 Grossesse à risque, maladies préexistantes et problèmes associés

Laurence Bertrand, âgée de 29 ans, est enceinte de 30 2/7 semaines. Elle consulte à l'urgence, car elle présente les symptômes suivants depuis ce matin : une faiblesse faciale du côté gauche et de la douleur à l'oreille située du même côté. Le médecin diagnostique une paralysie de Bell. ◄

1. Nommez deux autres manifestations à évaluer chez madame Bertrand en lien avec la paralysie de Bell.
   a) Hypoacousie et sialorrhée.
   b) Xérostomie et glossite.
   c) Hyperacousie et perte de goût.
   d) Photophobie et dysphasie.

   Réponse et justification :

2. Madame Bertrand est anxieuse à cause de son état. Celui-ci est-il dangereux pour la poursuite de sa grossesse ? Justifiez votre réponse.

3. Le médecin a prescrit de la prednisone à madame Bertrand. Qu'est-ce qui justifie ce traitement dans le cas de cette cliente ?

MAIS SI...

Si madame Bertrand s'était présentée à l'urgence cinq jours après avoir constaté ces manifestations, la prednisone aurait-elle été efficace ? Justifiez votre réponse.

4. De quel côté de sa bouche madame Bertrand devra-t-elle mastiquer les aliments? Justifiez votre réponse.

5. Que risque madame Bertrand pour la suite de sa grossesse à cause de la paralysie de Bell traitée à la prednisone?

a) Une paralysie qui perdure.

b) Un accouchement prématuré.

c) Une prise de poids accrue.

d) De la prééclampsie.

Réponse et justification:

À revoir

Paralysie de Bell

Situation de santé **Jugement clinique**

RE05

Grossesse ectopique

Cliente : Meredith Lowe

Solutionnaire 

Chapitre à consulter

L'obstétricien a diagnostiqué une grossesse ectopique chez Meredith Lowe, âgée de 25 ans. ▶

1. Indiquez les trois signes cliniques classiques qui ont permis à l'obstétricien de poser le diagnostic de grossesse ectopique pour madame Lowe.

2. En procédant à l'examen physique de madame Lowe, vous avez constaté la présence du signe de Cullen. Comment ce signe se manifeste-t-il ?
   a) Par une douleur à la région iliaque droite.
   b) Par une coloration bleue autour de l'ombilic.
   c) Par une absence de péristaltisme.
   d) Par une douleur abdominale diffuse.

   Réponse et justification :

3. Madame Lowe ressent une douleur à l'épaule droite. Est-ce une donnée pertinente et dont il faut tenir compte dans son cas ? Justifiez votre réponse.

▶ Madame Lowe doit subir une salpingectomie, car il y a eu rupture de la trompe utérine où l'embryon s'était implanté. ◀

4. À quel moment madame Lowe pourra-t-elle tenter de redevenir enceinte à la suite de la chirurgie ?
   a) Après trois cycles menstruels.
   b) Aussitôt qu'elle en aura le désir.
   c) Pas avant une année complète.
   d) Elle ne pourra plus devenir enceinte. ▶

Réponse et justification :

5. Dans l'éventualité où madame Lowe devrait recevoir une transfusion sanguine, quel examen sanguin doit avoir été réalisé et noté au dossier avant son départ pour la salle d'opération ?

À revoir

Grossesse ectopique, (*Manifestations cliniques*) et *Soins infirmiers : Grossesse ectopique*

RE06 Décélérations tardives

Cliente : Jennifer Malouin

Solutionnaire 

Chapitre à consulter

15 Évaluation du fœtus pendant le travail et l'accouchement

Jennifer Malouin, âgée de 36 ans, est enceinte pour la troisième fois. Elle jouit d'une bonne santé. Sa grossesse, à terme, s'est déroulée sans complications. La cliente est actuellement en phase active du premier stade de travail. En réponse à vos questions d'évaluation, elle vous dit que ses contractions sont bien plus intenses que lors de ses deux premiers accouchements. ▶

1. Vous observez le tracé électronique de la fréquence cardiaque fœtale (F.C.F.) et concluez qu'il survient des décélérations tardives. Comment pouvez-vous en arriver à cette conclusion ?

2. Cette situation comporte-t-elle un risque pour le fœtus ? Justifiez votre réponse.

3. Pourquoi devez-vous vérifier la variabilité de la F.C.F. chez madame Malouin ?

a) Une perte de variabilité associée à des décélérations tardives indiquerait une menace encore plus grande pour le fœtus.

b) Les caractéristiques de la variabilité sont plus fiables que les décélérations pour dépister les complications chez le fœtus.

c) Une variabilité marquée de la F.C.F. indiquerait que le système cardiaque du fœtus arrive à compenser les effets des décélérations.

d) Une variabilité modérée de la F.C.F. indiquerait que la pression intra-utérine engendrée par les contractions cause une compression du cordon ombilical.

Réponse et justification :

4. Vous demandez à madame Malouin de s'allonger en décubitus latéral gauche. Justifiez cette intervention.

5. En plus du changement de position en décubitus latéral gauche de la cliente, indiquez deux autres interventions pertinentes que vous pourriez effectuer.

▶ Le médecin est venu évaluer la situation de madame Malouin. Il a décidé de prescrire un traitement tocolytique. ◀

6. En quoi ce traitement est-il utile pour diminuer le risque de complications chez le fœtus de madame Malouin ?

   a) Il diminue la compression du cordon ombilical en ramenant à la normale, ou presque, le volume du liquide amniotique.
   b) Il améliore le débit sanguin au placenta en freinant les contractions utérines, lorsqu'elles sont excessives chez une parturiente.
   c) Il accélère le travail, permettant une naissance rapide, afin que le fœtus souffre d'hypoxémie le moins longtemps possible.
   d) Il diminue la variabilité de la F.C.F., permettant de réduire les besoins en oxygène du fœtus, et donc le risque d'hypoxémie.

Réponse et justification :

À revoir

Fréquence cardiaque fœtale de base (*Variabilité*), *Anomalies de la fréquence cardiaque fœtale* (*Décélérations*) et *Soins infirmiers : Monitorage électronique du fœtus* (*Interventions infirmières en cas de caractéristiques anormales*)

Situation de santé **Jugement clinique**

RE07

Prolapsus de l'utérus

Cliente : Michèle Léveillée

Solutionnaire 

Chapitre à consulter

 Complications postpartum

Michèle Léveillée, âgée de 42 ans, a accouché de 4 enfants. La dernière grossesse remonte à 18 mois. Au cours d'une consultation à la clinique de gynécologie, la cliente se plaint de lourdeur au bas-ventre, qu'elle décrit « comme si je traînais un objet dans mon vagin ». La gynécologue diagnostique un léger prolapsus de l'utérus. ◄

1. Outre les exercices de Kegel, quel autre moyen peut soulager les symptômes de lourdeur que ressent madame Léveillée ?

a) Prendre des bains de siège chauds trois fois par jour.

b) Rester en position genupectorale quelques minutes.

c) Demeurer en position assise le moins longtemps possible.

d) Faire une sieste de 30 minutes en position Tredelenbourg.

Réponse et justification :

2. La gynécologue recommande le port d'un pessaire. Madame Léveillée se questionne sur la durée de ce traitement. Que doit-elle savoir à ce sujet ?

3. Quelle suggestion pouvez-vous faire à la cliente pour prévenir les vaginites lorsqu'elle utilise le pessaire ?

a) Porter des sous-vêtements en coton et les laver avec un détergent doux.

b) Après la miction, essuyer la vulve de l'avant vers l'arrière.

c) Retirer le pessaire la nuit, le laver et le remettre le lendemain matin.

d) Éviter d'utiliser des produits parfumés pour son hygiène génitale.

▶

Réponse et justification :

4. Si l'utilisation du pessaire s'avérait inefficace, quels traitements pourraient être indiqués pour madame Léveillée ? Nommez-en deux.

À revoir

Déplacement et prolapsus de l'utérus (*Approche thérapeutique*)

Situation de santé **Jugement clinique**

RE08

Hyperbilirubinémie chez un nouveau-né

Client : Diêm

Solutionnaire 

Chapitre à consulter

 Évaluation et soins du nouveau-né

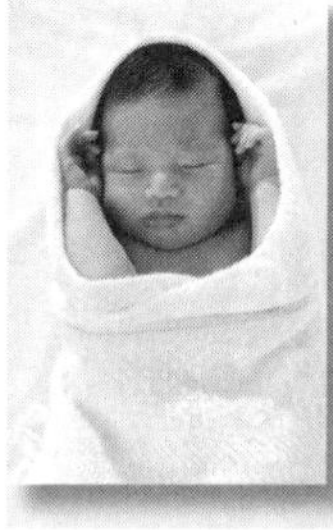

Diêm, un garçon d'origine vietnamienne, est né à 35 2/7 semaines de gestation. Après 60 heures de vie, la bilirubinométrie transcutanée (BTc) est de 272 mcmol/L. ◄

1. Quels sont les deux facteurs qui rendent ce nouveau-né à risque d'hyperbilirubinémie?

2. De quelle façon devriez-vous vérifier la présence d'ictère chez Diêm?

À revoir

Ictère physiologique

Pour une infirmière, la prise de décision clinique représente une façon tangible de démontrer son jugement professionnel. Même lorsqu'il s'agit d'une situation simple en apparence, le processus décisionnel repose sur un questionnement judicieux et une réflexion basée sur des considérations qui tiennent compte des particularités du contexte clinique du client. D'une certaine façon, c'est une autre application du modèle de pensée critique.

La question suivante a pour but de vous entraîner à analyser une situation où une décision clinique doit être prise en fonction des particularités du contexte de soins de Diêm. Vous aurez besoin de vous référer à la figure 21.11 du manuel (nomogramme pour évaluer le risque d'ictère chez un nouveau-né) afin de mener votre réflexion. Les réponses que vous donnerez à chacune des questions posées dans l'arbre décisionnel appuieront la décision que vous prendrez de façon éclairée.

3. D'après l'arbre décisionnel ci-dessous, que devez-vous faire, en lien avec la situation de santé de Diêm ?

a) Le risque d'ictère est faible, il ne faut pas vérifier la bilirubine sérique.

b) Le risque d'ictère est intermédiaire faible, il ne faut pas vérifier la bilirubine sérique.

c) Le risque d'ictère est intermédiaire élevé, il faut vérifier la bilirubine sérique.

d) Le risque d'ictère est élevé, il faut vérifier la bilirubine sérique.

Réponse et justification :

___

___

___

___

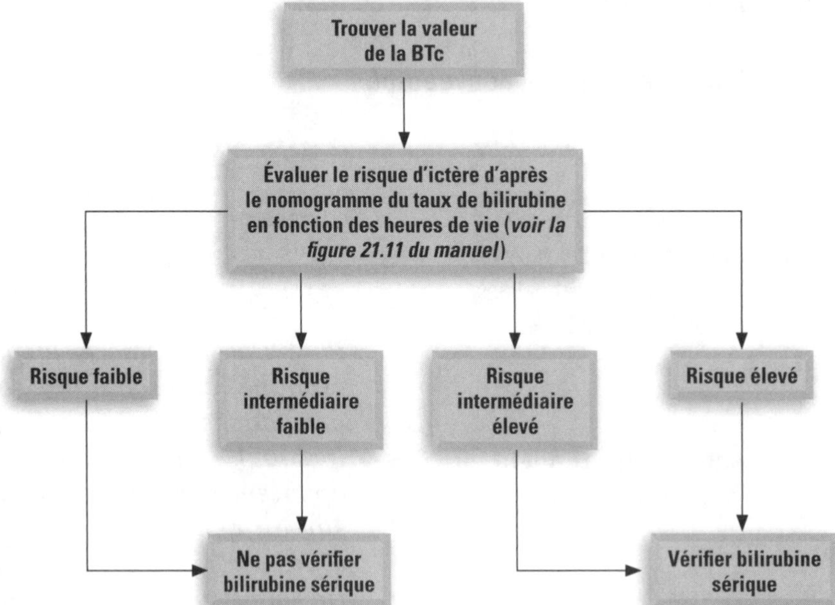

Situation de santé **Jugement clinique**

RE09

Infection néonatale

Cliente : Alexandrine

Chapitre à consulter

Nouveau-né à risque

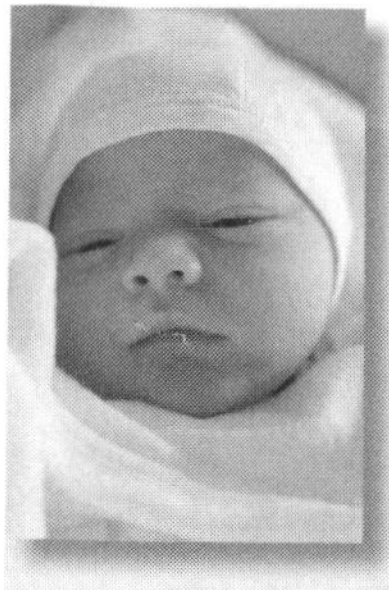

Alexandrine est née à 37 2/7 semaines de gestation. Elle pèse 3 400 g. Vous accueillez ce nouveau-né à l'unité néonatale. L'infirmière de la salle d'accouchement vous indique que la mère d'Alexandrine est porteuse du streptocoque du groupe B. ◄

1. Vous vérifiez auprès de l'infirmière si la mère d'Alexandrine a reçu une antibiothérapie au cours du travail. Pourquoi est-ce important d'obtenir cette information ?

2. Nommez quatre signes de septicémie à rechercher chez Alexandrine.

3. Le médecin demande qu'un dosage de la protéine C réactive soit fait chez Alexandrine. Dans quel but demande-t-il cet examen sanguin ?

a) Une diminution de la protéine C réactive peut signaler une faiblesse du système immunitaire.

b) Une augmentation de la protéine C réactive peut signaler une infection bactérienne.

c) Une diminution de la protéine C réactive signale la présence de globules blancs immatures.

d) Une augmentation de la protéine C réactive est un signe précurseur d'un ictère du nouveau-né.

Réponse et justification :

4. Quelle recommandation essentielle allez-vous faire à la mère d'Alexandrine pour prévenir l'apparition d'une septicémie au streptocoque B chez son enfant?

a) Adopter l'allaitement maternel.

b) Ne pas cohabiter avec son enfant.

c) Ne pas recevoir de visiteurs au centre hospitalier.

d) Porter un masque pour prendre son nouveau-né.

Réponse et justification:

5. Vous observez une baisse de la succion chez Alexandrine dans les 48 heures qui suivent sa naissance. Vous procédez alors à une glycémie capillaire. Dans quel but effectuez-vous cette vérification?

À revoir

Septicémie et *Soins infirmiers: Septicémie*